A ARTE DA GUERRA

Dominar a arte da guerra é fundamental para o Estado. Conhecê-la bem é questão de vida ou morte, a diferença entre segurança e ruína. Em nenhuma circunstância deve ser negligenciada.

Desta maneira começa o notável documento chinês escrito há cerca de 2.500 anos, no qual é registrada a sabedoria de Sun Tzu, um filósofo que se tornou general. Nele são discutidos todos os aspectos da guerra — táticos, hierárquicos e humanos, entre outros — numa linguagem tão poética quanto didática. James Clavell, autor de prestígio mundial, assina o prefácio, onde cita alguns preceitos de *A arte da guerra* e os contextualiza em nosso cotidiano. Uma obra para ser lida não apenas por todo comandante ou oficial, mas também por qualquer pessoa interessada na paz.

Outros livros publicados pela Editora Record

A arte da guerra – Documentos perdidos – Sun Tzu II
Casa nobre – James Clavell
Gai-Jin (2 volumes) – James Clavell
Tai-Pan – James Clavell

A ARTE DA GUERRA

SUN TZU

Adaptação e Prefácio de

James Clavell

Tradução de
JOSÉ SANZ

22ª TIRAGEM

EDITORA RECORD
RIO DE JANEIRO • SÃO PAULO
1999

CIP-Brasil. Catalogação-na-fonte
Sindicato Nacional dos Editores de Livros, RJ.

        Sun Tzu, século VI a.C.
S955a   A arte da guerra / Sun Tzu; adaptação e prefácio
1ª ed.   de James Clavell; tradução de José Sanz. – 22ª
        tiragem – Rio de Janeiro: Record, 1999.

        Tradução da versão inglesa do original em
japonês.
        Título em inglês: The art of war
        ISBN 85-01-02345-0

        1. Ciência militar – Obras anteriores a 1800.
I. Clavell, James, 1924- . II. Título.

                           CDD – 355
93-0182   CDU – 355

Título original norte-americano
THE ART OF WAR by Sun Tzu

Direitos exclusivos de publicação em língua portuguesa no Brasil
adquiridos pela
DISTRIBUIDORA RECORD DE SERVIÇOS DE IMPRENSA S.A.
que se reserva a propriedade literária desta tradução

Impresso no Brasil pelo
Sistema Cameron da Divisão Gráfica da
DISTRIBUIDORA RECORD DE SERVIÇOS DE IMPRENSA S.A.
Rua Argentina 171 – Rio de Janeiro, RJ – 20921-380 – Tel.: 585-2000

ISBN 85-01-02345-0

PEDIDOS PELO REEMBOLSO POSTAL
Caixa Postal 23.052
Rio de Janeiro, RJ – 20922-970

EDITORA AFILIADA

SUMÁRIO

PREFÁCIO 7

I/ PREPARAÇÃO DOS PLANOS 17
II/ GUERRA EFETIVA 21
III/ A ESPADA EMBAINHADA 25
IV/ TÁTICAS 29
V/ ENERGIA 32
VI/ PONTOS FRACOS E FORTES 37
VII/ MANOBRAS 43
VIII/ VARIAÇÃO DE TÁTICAS 51
IX/ O EXÉRCITO EM MARCHA 56
X/ TERRENO 68
XI/ AS NOVE SITUAÇÕES 76
XII/ ATAQUE PELO FOGO 98
XIII/ O EMPREGO DE ESPIÕES 104

PREFÁCIO

S UN Tzu escreveu este livro extraordinário
na China, há 2.500 anos. Começa assim:

A arte da guerra é de importância
vital para o Estado. É uma questão de vida
ou morte, um caminho tanto para a segurança como para a ruína. Assim, em nenhuma circunstância deve ser negligenciada.

E termina:

Dessa maneira, apenas o governante
esclarecido e o general criterioso usarão
as mais dotadas inteligências do exército
para a espionagem, obtendo, dessa forma,
grandes resultados.

Os espiões são os elementos mais importantes de uma guerra, porque neles repousa a capacidade de movimentação de um exército.

Acredito realmente que, se nossos chefes militares e políticos dos tempos modernos tivessem estudado esta obra genial, o Vietnã poderia não ter sido o que foi; não teríamos perdido a guerra da Coréia (perdemos porque não conquistamos a vitória); a Baía dos Porcos não teria acontecido; o fracasso dos reféns no Irã não teria sucedido; o Império Britânico não teria sido desmembrado; e, provavelmente, as I e II Guerras Mundiais teriam sido evitadas; certamente não teriam se desenrolado daquela forma e milhões de jovens, aniquilados desnecessária e estupidamente por monstros que se autodenominavam generais, teriam vivido suas vidas.

O mérito supremo consiste em quebrar a resistência do inimigo sem lutar.

Acho espantoso que Sun Tzu tenha escrito tantas verdades há 25 séculos, ainda hoje aplicáveis, principalmente na utilização de espiões, que considero extraordinária. Acho que este livrinho mostra com clareza o que ainda continua sendo feito errado e por que nossos atuais adversários têm tanto sucesso em algumas regiões (Sun Tzu é leitura obrigatória da hierarquia político-militar soviética e há séculos é traduzido para o russo; é também, quase literalmente, a fonte do Pequeno Livro Vermelho de Mao Tsé-Tung, doutrina de estratégia e tática).

Ainda mais importante, acredito que *A Arte da Guerra* mostra com grande clareza *como tomar a iniciativa* e combater o inimigo: qualquer inimigo.

Sun Tzu escreveu: se você se conhece e ao inimigo, não precisa temer o resultado de uma centena de combates.

Como em *O Príncipe*, de Maquiavel, e *O Livro dos Cinco Círculos*, de Miyamoto Musashi, as verdades de Sun Tzu, publicadas aqui, podem, da mesma forma, mostrar o caminho da vitória em todas as espécies de conflitos comerciais comuns, batalhas em salas de diretoria e na luta diária pela sobrevivência, que todos enfrentamos — mesmo na guerra dos sexos! São todas formas de guerra, todas combatem sob as mesmas regras — *suas regras*.

A primeira vez em que ouvi falar de Sun Tzu foi nas corridas em Happy Valley, Hong Kong, em 1977. Um amigo, P. G. Williams, administrador do Jóquei Clube, perguntou-me se já lera o livro. Respondi que não e ele me disse que teria prazer em mandar-me um exemplar no dia seguinte. Quando o livro chegou, deixei-o de lado. Então, um dia, semanas depois, peguei-o. Fiquei espantadíssimo por não ter, em todas as minhas leituras sobre a Ásia, especialmente Japão e China, topado com esse livro antes. Desde então, tem sido meu companheiro constante, de tal forma que, quando escrevi *Casa Nobre*, muitos personagens fazem referências elogiosas a Sun Tzu. Considero sua obra fantástica. Daí esta versão do livro dele.

Infelizmente, pouco se sabe do autor ou de quando escreveu os 13 capítulos. Alguns o situam mais ou menos em 500 a.C., no Reino de Wu, outros em 300 a.C.

Em 100 a.C., aproximadamente, um dos seus comentadores, Su-ma Ch'ien, forneceu esta biografia:

Sun Tzu, cujo nome individual era Wu, nasceu no Estado de Ch'i. Sua *Arte da Guerra* chamou a atenção do Ho Lu, Rei de Wu. Ho Lu disse-lhe: "Li atentamente seus 13 capítulos. Posso submeter sua teoria de dirigir soldados a uma pequena prova?"

Sun Tzu respondeu: "Pode".

O rei perguntou: "A prova pode ser feita em mulheres?"

A resposta tornou a ser afirmativa e então trouxeram 180 senhoras do palácio. Sun Tzu dividiu-as em duas companhias e colocou duas das concubinas favoritas do rei na direção de cada uma delas. Depois, mandou que todas pegassem lanças e falou-lhes assim: "Suponho que saibam a diferença entre frente e costas, mão direita e esquerda?"

As mulheres responderam: "Sim".

Sun Tzu prosseguiu: "Quando eu disser 'Sentido', têm de olhar diretamente para a frente. Quando eu disser 'Esquerda volver', têm de virar para sua mão esquerda. Quando eu disser 'Direita volver', precisam virar-se para sua mão direita. Quando eu disser 'Meia-volta volver', vocês têm de virar-se de costas".

As moças tornaram a concordar. Tendo explicado as palavras de comando, ele colocou as alabardas e achas-d'armas em forma, para começar a manobra. Então, ao som dos tambores, deu a ordem "Direita volver", mas as moças apenas caíram na risada.

Sun Tzu disse, paciente: "Se as ordens de comando não foram bastante claras, se não foram totalmente compreendidas, então a culpa é do general". Assim, recomeçou a manobra e, desta vez, deu a ordem "Esquerda volver", ao que as moças quase arrebentaram de tanto rir.

Então ele disse: "Se ordens de comando não forem claras e precisas, se não forem inteiramente compreendidas, a culpa é do general. Porém, se as ordens são *claras* e os soldados, apesar disso, desobedecem, então a culpa é dos seus oficiais". Dito isso, ordenou que as comandantes das duas companhias fossem decapitadas.

Ora, o Rei de Wu estava olhando do alto de um pavilhão elevado e quando viu sua concubina predileta a ponto de ser executada, ficou muito assustado e mandou imediatamente a seguinte mensagem: "Estamos neste momento muito contentes com a capacidade do nosso general de dirigir as tropas. Se formos privados dessas duas concubinas, nossa comida e bebida perderão o sabor. É nosso desejo que elas não sejam decapitadas."

Sun Tzu retrucou, ainda mais paciente: "Tendo recebido anteriormente de Vossa Majestade a missão de ser o general de suas forças, há certas ordens de Vossa Majestade que, em virtude daquela função, não posso aceitar". Conseqüentemente e imediatamente mandou decapitar as duas comandantes, colocando prontamente em seu lugar as duas seguintes. Isso feito, o tambor tocou mais uma vez para novo exercício. As moças executaram todas as ordens, virando para a direita ou esquerda, marchando em frente, fazendo meia-volta, ajoelhando-se ou parando, com precisão e rapidez perfeitas, não se arriscando a emitir um som.

Então, Sun Tzu enviou uma mensagem ao rei, dizendo: "Os soldados, senhor, estão agora devidamente disciplinados e treinados, prontos para a inspeção de Vossa Majestade. Podem ser utilizados como seu soberano o desejar. Mande-os atravessar fogo e água e agora não desobedecerão." Mas o rei retrucou: "Que o general pare o exercício e volte ao acampamento. Quanto a nós, não desejamos descer e passar os soldados em revista."

Respondendo, Sun Tzu disse, calmo: "O rei apenas gosta muito de palavras, e não sabe transformá-las em atos."

Depois disso, o Rei de Wu viu que Sun Tzu sabia como comandar um exército e nomeou-o general. A oeste, Sun Tzu derrotou o Estado de Ch'u e abriu caminho para Ying, a capital; ao norte, aterrorizou os Estados de Ch'i e Chin, e estendeu sua fama até os príncipes feudais. E Sun Tzu partilhou o poder do reino.

Portanto, Sun Tzu tornou-se general do Rei de Wu. Durante quase duas décadas, os exércitos de Wu dominaram seus inimigos de gerações: os reinos de Yueh e Ch'u. Nesse período, Sun Tzu faleceu e seu senhor, o Rei de Wu, foi morto em combate. Durante alguns anos, seus descendentes seguiram os preceitos de Sun Tzu e continuaram a dominar. E depois os esqueceram.

Em 473 a.C., os exércitos de Wu foram derrotados e o reino desapareceu.

Em 1782, A *Arte da Guerra* foi traduzida pela primeira vez para o francês, por um jesuíta, o Padre Amiot. Há uma lenda que diz ter sido esse livrinho a chave do sucesso e arma secreta de Napoleão. Sem dúvida, suas batalhas dependiam de mobilidade e esta é uma das coisas que Sun Tzu salienta. Certamente, Napoleão usou os conhecimentos de Sun Tzu para conquistar a maior parte da Europa. Foi apenas quando deixou de segui-los que foi derrotado.

A *Arte da Guerra* só foi traduzida para o inglês em 1905. A primeira tradução deve-se a P. F. Calthrop. A segunda, a que vão ler aqui, é de Lionel Giles, e foi originariamente publicada em Xangai e Londres em 1910. Permiti-me algumas liberdades com esta tradução, para torná-la um pouco mais acessível — toda tradução do chinês antigo para outra língua é, de certo modo, uma questão de interpretação — e incluí algumas anotações de Giles, de acordo com o método chinês, logo após os trechos a que se referem.

Para maior simplicidade, eliminei deliberadamente todos os acentos nos nomes e locais chineses. De fato, é quase impossível traduzir os sons chineses de uma letra através da grafia romana. Também, para simplificar, utilizei o velho sistema ortográfico. Que todos os sábios, grandes e pequenos, por favor me desculpem!

Espero sinceramente que apreciem a leitura deste livro. Sun Tzu merece ser lido. Eu gostaria de tornar A *Arte da Guerra* leitura

14

obrigatória de todos os nossos oficiais e soldados da ativa, bem como políticos, funcionários
governamentais e todas as escolas superiores e
universidades do mundo livre. Se eu fosse
comandante-em-chefe, presidente ou primeiro-ministro, faria mais: promulgaria uma lei
determinando que todos os oficiais, *principalmente os generais*, fizessem anualmente um
exame oral e escrito desses 13 capítulos, com
nota mínima de 95 em 100. O general que não
conseguisse passar, seria automática e sumariamente exonerado sem direito a recurso e
todos os outros oficiais automaticamente rebaixados.

Acredito firmemente que o conhecimento
de Sun Tzu é vital para a nossa sobrevivência.
Esse conhecimento pode dar-nos a proteção de
que necessitamos para que nossos filhos cres-
çam em paz e com prosperidade.

Nunca devemos esquecer que, desde a
antiguidade, sabia-se muito bem que... "o verdadeiro objetivo da guerra é a *paz*".

JAMES CLAVELL

I

PREPARAÇÃO DOS PLANOS

S UN Tzu disse:
A arte da guerra é de importância vital
para o Estado. É uma questão de vida ou morte,
um caminho tanto para a segurança como para
a ruína. Assim, em nenhuma circunstância
deve ser negligenciada.

A arte da guerra é governada por cinco
fatores constantes, que devem ser levados em
conta. São: a Lei Moral; o Céu; a Terra; o
Chefe; o Método e a disciplina.

A *Lei Moral* faz com que o povo fique de
completo acordo com seu governante, levando-
o a segui-lo sem se importar com a vida, sem
temer perigos.

O *Céu* significa a noite e o dia, o frio e o
calor, o tempo e as estações.

A *Terra* compreende as distâncias, grandes
e pequenas; perigo e segurança; campo aberto

e desfiladeiros; as oportunidades de vida e morte.

O *Chefe* representa as virtudes da sabedoria, sinceridade, benevolência, coragem e retidão.

Deve-se compreender por *Método e disciplina* a disposição do exército em subdivisões adequadas, as graduações de posto entre os oficiais, a manutenção de estradas por onde os suprimentos devem chegar às tropas e o controle dos gastos militares.

Esses cinco fatores devem ser familiares a cada general. Quem os conhecer, será vencedor; quem não os conhecer, fracassará.

Portanto, quando procurarem determinar suas condições militares, tomem suas decisões tendo como base uma comparação desta forma:

Qual dos dois soberanos está impregnado com a Lei Moral?

Qual dos dois generais tem mais competência?

Com quem estão as vantagens oriundas do Céu e da Terra?

Em que lado a disciplina é mais rigorosamente aplicada?

Tu Mu faz alusão à notável história de Ts'ao Ts'ao (155-220 d.C.), um disciplinador tão rigoroso que, uma vez, de acordo com seus próprios e severos regulamentos contra o estrago de plantações, condenou-se à morte por ter deixado seu cavalo entrar num milharal! Todavia, em vez de perder a cabeça, foi persuadido, para satisfazer seu senso de justiça, a cortar o cabelo. "Quando fizer uma lei, não permita que seja desobedecida; se for, seu infrator deve ser condenado à morte."

Qual o exército mais forte?

De que lado há oficiais e soldados mais bem treinados?

Em que exército existe a absoluta certeza de que o mérito será mais apropriadamente recompensando e o demérito punido sumariamente?

Usando essas sete considerações, posso prever vitória ou derrota. O general que prestar atenção aos meus conselhos e agir de acordo com eles vencerá; deixe que fique no comando! O general que não prestar atenção aos meus conselhos, nem agir de acordo com eles, será derrotado; que seja exonerado! Mas lembre-se: enquanto estiver dando atenção aos benefícios do meu conselho, aproveite-se também de toda a circunstância útil acima e além das regras comuns e modifique seus planos de acordo com ela.

Toda operação militar tem o logro como base. Por isso, quando capazes de atacar, devemos parecer incapazes; ao utilizar nossas forças, devemos parecer inativos; quando estiver mos perto, devemos fazer o inimigo acreditar que estamos longe; quando longe, devemos fazê-los acreditar que estamos perto. Preparar iscas para atrair o inimigo. Fingir desorganização e esmagá-lo. Se ele está protegido em todos os pontos, esteja preparado para isso. Se ele tem forças superiores, evite-o. Se o seu adversário é de temperamento irascível, procure irritá-lo. Finja estar fraco e ele se tornará arrogante. Se ele estiver tranqüilo, não lhe dê sossego. Se suas forças estão unidas, separe-as. Ataque-o onde ele se mostrar despreparado, apareça quando não estiver sendo esperado.

O general que vence uma batalha, fez muitos cálculos no seu templo, antes de ser travado o combate. O general que perde uma batalha, fez poucos cálculos antes. Portanto, fazer muitos cálculos conduz à vitória e poucos, à derrota; até onde mais, levará a falta de cálculo! É graças a esse ponto que posso prever quem, provavelmente, vencerá ou perderá.

II

GUERRA EFETIVA

NAS operações de guerra, onde haja no campo de batalha mil carros rápidos, dez mil pesados e cem mil soldados usando armaduras flexíveis de malha, com provisões suficientes para transportá-los por mil *li*,* a despesa na frente e na retaguarda, incluindo divertimento de convidados, artigos menores como cola e tinta e importâncias gastas em carros e armaduras, atingirá o total de mil onças de prata por dia. Esse é o custo de organização de um exército de cem mil homens.

Quando nos empenhamos numa guerra verdadeira, se a vitória custa a chegar, as armas dos soldados tornam-se pesadas e o entusiasmo deles enfraquece. Se sitiamos uma

---

* 1,71 *li* atuais são 1.000 metros. Esse comprimento pode ter variado ligeiramente desde a época de Sun Tzu.

cidade, gastaremos nossa força e se a campanha se prolongar, os recursos do Estado não serão iguais ao esforço. Nunca esqueça: quando suas armas ficarem pesadas, seu entusiasmo diminuído, a força exaurida e seus fundos gastos, outro comandante aparecerá para tirar vantagem da sua penúria. Então, nenhum homem, por mais sábio, será capaz de evitar as conseqüências que advirão.

Assim, apesar de termos ouvido falar de precipitações estúpidas na guerra, a inteligência nunca foi associada a decisões demoradas. Não há, na história, notícia de um país que se tenha beneficiado com uma guerra prolongada. Só quem conhece os efeitos desastrosos de uma guerra longa pode compreender a suprema importância da rapidez em levá-la a termo. Só quem estiver familiarizado com os males da guerra, pode compreender perfeitamente o meio mais vantajoso de como prosseguir com ela.

Um general capaz não faz um segundo recrutamento nem carrega mais de duas vezes seus vagões de suprimentos. Uma vez declarada a guerra, não perderá um tempo precioso esperando reforços, nem voltará com seu exército à procura de suprimentos frescos, mas atravessará a fronteira inimiga sem demora. O valor do tempo — isto é, estar ligeiramente adiante do adversário — vale mais que a superioridade numérica ou os cálculos mais perfeitos com relação ao abastecimento.

Traga material bélico, mas tome as provisões do inimigo. Assim, o exército terá alimentação suficiente para suas necessidades. A pobreza do erário público obriga um exército a ser mantido com contribuições vindas de longe. Contribuir para a manutenção de um exército distante leva o povo ao empobrecimento.

Por outro lado, a proximidade de um exército provoca uma subida nos preços e preços altos sugam os bens do povo. Quando isso acontece, ele sofre pesados tributos. Com essa perda de recursos e exaustão de forças, os lares ficarão vazios e suas rendas dissipadas; ao mesmo tempo, as despesas do governo com carros quebrados, cavalos abatidos, peitorais e capacetes, arcos e flechas, lanças e escudos, manteletes protetores, animais de tiro e carroças pesadas, atingirão quase a metade da arrecadação total.

Um general inteligente estabelece um ponto de reabastecimento por saque no território inimigo. Uma carrada de provisões inimigas é equivalente a 20 próprias e da mesma forma um único *picul* * das suas provisões a 20 das de suas próprias reservas.

Agora, no que toca a matar o inimigo, nossos soldados devem ser levados à ira. Para que percebam a vantagem de derrotar o adversário, devem também ser recompensados. Assim, quando se captura bens do inimigo, esses bens devem ser usados como prêmios, de for-

---

* Unidade chinesa de peso igual a 64,783 kg.

23

ma a que todos os soldados tenham um forte desejo de lutar, cada um por sua conta.

Portanto, nos combates de carros, quando dez ou mais deles tenham sido tomados, devem ser dados como recompensa aos que primeiro os tomaram. Nossas próprias bandeiras devem ser substituídas pelas do inimigo e os carros misturados e usados em conjunto com os nossos. Os soldados capturados devem ser mantidos e tratados com bondade. Chama-se a isso usar o inimigo aprisionado para aumentar nossa própria força.

Na guerra, portanto, deixe que seu grande objetivo seja a vitória e não campanhas extensas. Por isso deve ser sabido que o comandante dos exércitos é o árbitro do destino do povo, o homem de quem depende que a nação fique em paz ou em perigo.

III

A ESPADA EMBAINHADA

L UTAR e vencer em todas as batalhas não é
a glória suprema; a glória suprema consiste em quebrar a resistência do inimigo sem
lutar. Na prática arte da guerra, a melhor coisa
é tomar o país inimigo totalmente e intato;
danificar e destruir não é tão bom. Assim,
também é melhor capturar um exército inteiro
que destruí-lo; capturar um regimento, um
destacamento ou uma companhia, sem os aniquilar.

Portanto, a mais perfeita forma de comandar é impedir os planos do inimigo; depois,
evitar a junção das suas forças; a seguir, atacar
o exército inimigo no próprio campo; e a pior
de todas as políticas é sitiar cidades muradas,
porque a preparação de couraças, abrigos mó-
veis e vários implementos de guerra tomará
três meses inteiros; e a construção de acessos

diante das muralhas levará mais três. O general, incapaz de conter sua irritação, quererá atirar seus homens ao assalto como formigas, tendo como resultado o assassinato de um terço dos seus soldados, com a agravante de que a cidade continuará incólume. São esses os efeitos desastrosos do cerco.

O chefe habilidoso conquista as tropas inimigas sem luta; toma suas cidades sem submetê-las a cerco; derrota o reinado sem operações de campo muito extensas. Com as forças intatas, disputa o domínio do império e, com isso, sem perder um soldado, sua vitória é completa.

Esse é o método de atacar com estratagemas, de usar a espada embainhada.

A regra na guerra é esta: se suas forças estão na proporção de dez para um em relação ao inimigo, faça-o render-se; se forem de cinco para um, ataque-o; se duas vezes mais numerosas, divida seu exército em dois: um para atacar o inimigo pela frente e outro pela retaguarda; se ele responder ao ataque frontal, pode ser esmagado pela retaguarda; se responder ao da retaguarda, pode ser esmagado pela frente.

Se está em igualdade de condições poderá enfrentá-lo; se ligeiramente inferior em número, poderá evitá-lo; se inferior em todos os aspectos, poderá fugir dele. Embora um combate obstinado possa ser dado por uma força pequena, esta acaba por ser capturada pela força superior.

O general é o sustentáculo do Estado: se o sustentáculo for forte em todos os aspectos, o Estado será forte; se está defeituoso, o Estado será fraco.

Há três maneiras de um soberano levar a desgraça ao seu exército:

exigindo que avance ou recue, sem dar importância ao fato de que não poderá ser obedecido. Chama-se a isso estorvar o exército;

tentando comandar um exército da mesma forma que administra o reino, ignorando as condições que prevalecem no exército. Isto provoca inquietação na mente dos soldados. Humanidade e justiça são os princípios com os quais se governa o Estado, mas não o exército; oportunismo e flexibilidade, por outro lado, são virtudes militares em vez de civis; e

empregando os oficiais do seu exército indiscriminadamente, pela ignorância do princípio militar de adaptação às circunstâncias. Isso abala a confiança dos soldados.

Su-ma Ch'ien, cerca de 100 a.C., acrescentou a essa seção: se um general ignorar o princípio da adaptação, não deve ser colocado numa posição de autoridade. Um hábil empregador de homens usará o prudente, o bravo, o cobiçoso e o burro. Pois o prudente terá prazer em aplicar seu mérito, o bravo sua coragem em ação, o cobiçoso é rápido em tirar vantagens e o burro não teme a morte.

27

Quando o exército está inquieto e receoso, é certo haver perturbações provocadas por outros príncipes inimigos. Trata-se apenas de introduzir a anarquia nas tropas, jogando fora a vitória. Assim, precisamos saber que há cinco coisas fundamentais para a vitória:

será vencedor quem souber quando lutar e quando não lutar;

será vencedor quem souber como manobrar tanto as forças superiores como as inferiores;

será vencedor aquele cujo exército estiver animado do mesmo espírito em todos os postos;

será vencedor quem, autopreparado, espera para surpreender o inimigo despreparado; e

será vencedor quem tiver capacidade militar e não sofrer a interferência do soberano.

Se conhecemos o inimigo e a nós mesmos, não precisamos temer o resultado de uma centena de combates. Se nos conhecemos, mas não ao inimigo, para cada vitória sofreremos uma derrota. Se não nos conhecemos nem ao inimigo, sucumbiremos em todas as batalhas.

IV

TÁTICAS

O S bons guerreiros de antigamente primeiro se colocaram fora da possibilidade de derrota e depois esperaram a oportunidade de derrotar o inimigo.

A garantia de não sermos derrotados está em nossas próprias mãos, porém a oportunidade de derrotar o inimigo é fornecida pelo próprio inimigo. Daí o ditado: pode-se *saber* como conquistar sem ter capacidade de *fazê-lo*.

A garantia contra a derrota implica táticas defensivas; a capacidade de derrotar o inimigo significa tomar a ofensiva. Manter-se na defensiva indica força insuficiente; atacar, uma superabundância de força.

O general hábil na defesa esconde-se nos recessos mais secretos da terra; o hábil em atacar o faz como um relâmpago, das maiores alturas do céu. Portanto, de um lado, temos a capacidade de nos proteger; do outro, de obter uma vitória completa.

Ver a vitória apenas quando ela está ao alcance da vista da ralé não é o máximo da superioridade. Como não o é se alguém luta e vence e todo o império diz "Muito bem!". O verdadeiro mérito é planejar secretamente, deslocar-se sub-repticiamente, frustrar as intenções do inimigo e impedir seus planos, de maneira a que, finalmente, o dia possa ser ganho sem o derramamento de uma gota de sangue. Erguer um fio de cabelo grisalho não é sinal de grande força; ver o sol e a lua não é sinal de olhar acurado; ouvir o ruído do trovão não é sinal de ouvido apurado.

O que os antigos chamavam de guerreiro inteligente era alguém que não apenas vencia, mas que se sobressaía vencendo com facilidade. Porém, suas vitórias não lhe traziam nem reputação de sabedoria nem crédito pela coragem, na medida em que eram obtidas em circunstâncias não esclarecidas. O mundo, em geral, nada sabia delas e o guerreiro, dessa forma, não conseguia uma reputação de sabedoria, já que todos os Estados hostis, submetidos antes, tinham sido mergulhados em sangue. Ele não recebia prêmio algum pela coragem.

O guerreiro vence os combates não cometendo erros. Não cometer erros é o que dá a certeza da vitória, pois significa conquistar um inimigo já derrotado.

Por isso, o guerreiro hábil coloca-se numa posição que torna a derrota impossível e não perde a ocasião de aniquilar o inimigo. É assim que, na guerra, o estrategista vitorioso apenas procura o combate depois da vitória, considerando que está destinado a perder os primeiros combates para procurar depois a vitória. Um exército vitorioso, frente a frente com um derrotado, é como o peso de um quilo num prato da balança e um grão no outro. A investida de uma força conquistadora é como a irrupção de águas represadas num abismo de mil braças de profundidade.

Um chefe consumado cultiva a Lei Moral e adere estritamente ao método e disciplina; portanto, está em seu poder controlar o sucesso. A mesma coisa para a tática.

V

ENERGIA

EM princípio, comandar uma grande força é a mesma coisa que comandar alguns homens: é apenas uma questão de dividir seu efetivo. Combater com um grande exército sob seu comando, de modo algum é diferente de combater com um pequeno: é meramente uma questão de estabelecer sinais e senhas.

Para garantir que toda a sua tropa possa agüentar o ímpeto do ataque inimigo e permanecer firme, faça manobras diretas e indiretas. Em todo o combate, o método direto pode ser usado para coordenar a batalha, mas os indiretos serão necessários para garantir a vitória.

A tática indireta, eficientemente aplicada, é tão inexaurível quanto Céu e Terra; ininterrupta, como o fluxo de rios e correntes; como o sol e a lua, ela termina para recomeçar; e como as quatro estações, ela passa para retornar mais uma vez.

Não há mais que cinco notas musicais e todavia a combinação delas dá surgimento a mais melodias do que as já conhecidas. Não existem mais que cinco cores primárias e, no entanto, sua combinação produz mais matizes do que os já vistos. Não conhecemos mais de cinco paladares fundamentais — ácido, picante, salgado, doce, amargo — e, no entanto, a combinação deles produz mais sabores que os já provados.

Na batalha, porém, não há mais de dois métodos de ataque: o direto e o indireto; todavia, a combinação dá ensejo a uma infindável série de manobras. Um método sempre conduz ao outro. É como mover-se em círculo: nunca chega-se ao fim. Quem pode esgotar as possibilidades de sua combinação?

O assalto de soldados é como o ímpeto de uma torrente, que carrega pedras no seu curso. A qualidade da decisão é como a calculada arremetida de um falcão, que lhe possibilita atacar e destruir sua vítima. Portanto, o bom combatente deve ser terrível no seu ataque e rápido na decisão.

A energia pode ser comparada ao retesar de uma besta; a decisão, ao acionar do gatilho.

Entre o fragor e o tumulto de um combate, pode parecer haver confusão e, na verdade, isso de fato não acontece; entre a confusão e o caos uma formação de tropas poderá parecer sem pés nem cabeça e todavia ser impenetrável à derrota. A confusão simulada requer uma disciplina perfeita; o medo fingido exige coragem; a fraqueza aparente pressupõe força. Esconder a ordem sob a capa da desordem é apenas uma questão de subdivisão; ocultar a coragem sob um ar de timidez pressupõe um fundo de energia latente; mascarar a força com a fraqueza é ser influenciado por disposições táticas.

Chang Yu conta a seguinte anedota de Liu Pang, o primeiro imperador Han (256-195 a.C.). Desejando esmagar Hsiung-nu, ele enviou espiões para conhecer sua condição. Mas este, sabedor do fato, ocultou com cuidado todos os soldados fortes e todos os cavalos bem alimentados, deixando apenas homens doentes e gado magro à vista. O resultado foi que os espiões, unanimemente, recomendaram ao imperador que atacasse. Só Lou Ching discordou, dizendo: "Quando dois países guerreiam, são naturalmente inclinados a uma escandalosa ostentação da sua força. Todavia, nossos espiões viram apenas velhice e doença. Isso, com certeza, é um *ardil* do inimigo e atacar pode ser imprudente". O imperador, no entanto, desprezando seu conselho, caiu na armadilha e foi derrotado em Po-teng.

Assim, aquele que for hábil em manter o inimigo em movimento, conserva uma aparência decepcionante, de acordo com a qual o inimigo irá agir. Sacrifica uma coisa que o inimigo poderá pegar; lançando iscas, ele o mantém em ação; então, com um corpo de homens selecionados, fica à sua espera.

Em 341 a.C., o Estado Ch'i, em guerra com o Wei, enviou T'ien Ch'i e Sun Pin contra o General P'ang Chuan, que era inimigo mortal do último. Sun Pin disse: "O Estado Ch'i tem a reputação de covarde e, por esse motivo, nosso adversário nos despreza. Vamos virar esta circunstância a nosso favor." Conseqüentemente, quando o exército atravessou a fronteira do território de Wei, ordenou fossem acesas 100.000 fogueiras na primeira noite, 50 mil na segunda e apenas 20 mil na outra. P'ang Chuan os atacou vigorosamente, pensando: "Eu sabia que os soldados de Ch'i eram covardes; seu número já caiu para menos da metade." Na sua retirada, Sun Pin chegou a um estreito desfiladeiro que, calculou ele, seria atingido pelos perseguidores depois do escurecer. Lá chegando tirou a casca de uma árvore e escreveu estas palavras: "Sob esta árvore, P'ang Chuan morrerá." Então, quando a noite começou a cair, colocou um poderoso corpo de arqueiros emboscados nos arredores, com ordem de atirar diretamente se vissem uma luz. Mais tarde, P'ang Chuan chegou ao local e, vendo a árvore, acendeu uma luz para ler o que estava escrito. Seu corpo foi imediatamente crivado por uma saraivada de flechas e todo o seu exército foi presa de confusão.

O guerreiro inteligente procura o efeito da energia combinada e não exige muito dos indivíduos. Leva em conta o talento de cada um e utiliza cada homem de acordo com sua capacidade. Não exige perfeição dos sem talento.

Quando utiliza a energia combinada, seus soldados transformam-se em pedras ou troncos rolantes. Pois faz parte da natureza de um tronco ou de uma pedra permanecer imóvel no terreno plano e mover-se num declive; se são quadrados, ficam parados, mas se são redondos, descem rolando. Assim, a energia desenvolvida por bons guerreiros é como o movimento de uma pedra redonda, rolando por uma montanha de 300 metros de altura. Isso no tocante à energia.

VI

PONTOS FRACOS E FORTES

PARA que o impacto do seu exército possa ser semelhante a uma pedra de moinho chocando-se com um ovo, utilize a ciência dos pontos fracos e fortes.

Quem estiver primeiro no campo de batalha e esperar a aparição do inimigo estará descansado para o combate; quem vier depois e tiver de apressar-se, chegará exausto. Dessa forma, o guerreiro inteligente impõe sua vontade ao inimigo, porém, não permite que ele lhe imponha a sua. Mantendo vantagem sobre ele, pode levar o inimigo a chegar a um acordo; ou, infligindo perdas, pode tornar impossível ao inimigo chegar perto. No primeiro caso, deve atraí-lo com um engodo; no segundo, deve atacar num ponto importante, que o inimigo será obrigado a defender.

Se o inimigo estiver descansando, fustigue-o; se acampado silenciosamente, force-o a mover-se; se bem abastecido de provisões, faça-o ficar esfomeado. Apareça em pontos que o inimigo deva apressar-se a defender; marche rapidamente para lugares onde não for esperado.

Um exército pode marchar grandes distâncias sem perigo, se o faz por uma região onde o inimigo não esteja. Você poderá ter certeza do sucesso dos seus ataques se executá-los apenas em lugares não defendidos. Poderá ter certeza da segurança de suas defesas se mantiver apenas posições que não possam ser atacadas. Este general é capaz de ataques que o inimigo não saberá como evitar; e capaz também na defesa, cujo oponente não saberá como atacar.

Aquele que tiver capacidade de atacar repentinamente das maiores alturas do céu, fará com que seja impossível ao inimigo defender-se. Assim sendo, os lugares a serem atacados são exatamente os que o inimigo não pode defender... Aquele que for especialista em esconderijos defensivos nas cavernas mais secretas da terra, torna impossível para o inimigo saber o seu paradeiro. Assim, os lugares que ele dominar serão exatamente os que o inimigo não poderá atacar.

Oh, arte divina da sutileza e do sigilo! Graças a ti, aprendemos a ser invisíveis, inaudíveis e assim podemos ter o destino do inimigo em nossas mãos. Podemos avançar e tornar-nos absolutamente irresistíveis, se fizermos isso contra os pontos fracos dele; podemos recuar e nos pôr a salvo da perseguição, se nossos movimentos forem mais rápidos que os do adversário. Se desejarmos lutar, o rival poderá ser forçado a isso, apesar de abrigado numa alta trincheira e num fosso profundo. Tudo o que precisamos fazer é atacar em algum outro lugar e ele será obrigado a socorrê-lo. Se o inimigo é o invasor, podemos cortar suas linhas de comunicação e ocupar as estradas pelas quais terá de voltar; se formos os invasores, podemos dirigir nosso ataque contra o próprio soberano.

Se não quisermos combater, podemos evitar que o inimigo nos encontre, apesar de as marcas do nosso acampamento estarem esboçadas no chão. Tudo o que precisamos fazer é atirar alguma coisa estranha e inexplicável no seu caminho.

Tu Mu relata um estratagema de Chuko Liang que, em 149 a.C., durante a ocupação de Yang-p'ing e perto de ser atacado por Ssu-ma I, subitamente arriou as bandeiras, parou o soar de tambores, abriu os portões da cidade, mostrando apenas alguns homens ocupados em varrer e molhar o chão. Esse procedimento inesperado tinha um efeito premeditado; Ssu-ma I, suspeitando de uma emboscada, realmente juntou seu exército e retirou-se.

Descobrindo as disposições do inimigo e nos escondendo, podemos conservar nossas forças concentradas, enquanto as dele podem ser divididas. Se as disposições do inimigo são visíveis, podemos atingi-las como um só corpo; desde que nossas forças sejam mantidas secretas, ele será obrigado a dividir as dele, para evitar ser atacado de todos os lados. Podemos organizar um corpo único enquanto o inimigo fraciona suas forças. Conseqüentemente, haverá um ataque compacto contra partes separadas de um todo, o que significa que seremos muitos contra poucos. E se formos capazes de atacar uma força inferior com outra superior, nossos adversários estarão em maus lençóis.

O local onde pretendemos lutar não deve ser revelado, pois assim o inimigo terá de se preparar contra um possível ataque em vários pontos diferentes; e se suas forças estiverem distribuídas em várias direções, a quantidade que deveremos enfrentar em cada local será proporcionalmente pequena.

Para que o inimigo possa fortalecer sua vanguarda, deverá enfraquecer a retaguarda; fortalecendo esta, enfraquecerá aquela; fortalecendo a esquerda, enfraquecerá a direita; se fortalecer a direita, enfraquecerá a esquerda. Se enviar reforços para todos os cantos, será fraco em todos eles.

A fraqueza numérica decorre da necessidade de se preparar contra possíveis ataques; a força numérica, de obrigar o adversário a fazer aqueles preparativos contra nós. Conhecendo o local e a hora da próxima batalha, podemos nos concentrar a grandes distâncias para lutar. Mas, se nem o local nem a hora forem conhecidos, então o flanco esquerdo será impotente para socorrer o direito; o direito igualmente impotente para socorrer o esquerdo, a vanguarda será incapaz de desafogar a retaguarda e esta de apoiar a vanguarda. Ainda mais se os segmentos mais afastados do exército estiverem separados por uma centena de *li* e os mais próximos por vários *li*!

Mesmo que o inimigo seja mais forte em tropas, podemos impedi-lo de combater. Planeje de forma a descobrir seus planos e a sua probabilidade de sucesso. Provoque-o e descubra a base da sua atividade ou inatividade. Force-o a revelar-se, de forma a exibir seus pontos vulneráveis. Compare meticulosamente o exército adversário com o seu, de forma a saber onde a força é superabundante e onde é deficiente.

Ao preparar arranjos táticos, o melhor a fazer é ocultá-los; oculte seus arranjos e estará a salvo da curiosidade de espiões hábeis e das maquinações dos cérebros mais cultos.

O que o vulgo não pode compreender é como a vitória pode ser obtida por ele a partir das próprias táticas do inimigo.

Todos podem ver as táticas individuais necessárias para conquistar, mas quase ninguém pode ver a estratégia através da qual se obtém a vitória total. As táticas militares são o contrário da água; esta, em seu curso natural,

41

corre dos lugares altos velozmente para baixo. Na guerra, porém, o caminho é evitar o que é forte e golpeá-lo quando estiver fraco. A água modela seu curso de acordo com a natureza do solo por onde passa; o soldado prepara sua vitória de acordo com o inimigo que está enfrentando.

Assim, exatamente como a água não mantém sua forma constante, também na guerra não há condições constantes. Os cinco elementos — água, fogo, madeira, metal, terra — não são sempre igualmente predominantes; as quatro estações dão lugar umas às outras. Há dias curtos e longos; a lua tem períodos minguantes e crescentes. Quem conseguir modificar suas táticas em relação ao adversário e, dessa forma, sair vencedor, pode ser denominado capitão celeste.

VII

MANOBRAS

SEM harmonia no Estado, nenhuma expedição militar pode ser garantida; sem harmonia no exército, não pode haver formação de batalha.

Na guerra, o general recebe suas ordens do soberano. Ao reunir um exército e concentrar suas forças, deve misturar e harmonizar seus diversos elementos antes de instalar seu acampamento.

Depois disso vem a manobra tática e nada é mais difícil. A dificuldade consiste em transformar o desvio em linha reta, o infortúnio em vantagem. Assim, tomar uma longa e tortuosa estrada, após ter atraído o inimigo para fora dela e, ainda que tenha partido depois dele, conseguir chegar ao objetivo antes, revela conhecimento do artifício do *desvio*.

Tu Mu cita a famosa marcha de Chao She em 270 a.C. para socorrer a cidade de O-yu, fortemente cercada por um exército Ch'in. O Rei de Chao consultou primeiro Pien P'o sobre a conveniência de tentar um socorro, mas este pensou ser a distância muito grande e o terreno até lá muito áspero e difícil. Sua Majestade, então, voltou-se para Chao She, que tinha admitido inteiramente a natureza perigosa da marcha, dizendo finalmente: "Seremos como dois ratos lutando num buraco... e o mais corajoso vencerá!" Assim, partiu da capital com seu exército, mas apenas havia percorrido a distância de 30 *li* quando parou e começou a cavar trincheiras. Durante 28 dias continuou melhorando suas fortificações e tratou de enviar espiões para dar conhecimento ao inimigo. O General Ch'in ficou radiante e atribuiu a lentidão do adversário ao fato da cidade sitiada ficar no Estado de Han, não pertencendo realmente ao território Chao. Porém, mal os espiões tinham partido, Chao She começou uma marcha forçada que durou dois dias e uma noite, chegando à frente de batalha com tanta velocidade que lhe foi possível ocupar uma posição dominante na "colina norte", antes que o inimigo tivesse notícia dos seus movimentos. Uma derrota esmagadora liquidou as forças de Ch'in, que foram obrigadas a levantar o sítio de O-yu com a maior rapidez e retirar-se através da fronteira.

Manobrar um exército é vantajoso; manobrar uma multidão indisciplinada, perigoso demais. Se prepararmos um exército totalmente equipado para marchar com o objetivo de tirar vantagem, as possibilidades são de que cheguemos tarde demais. Por outro lado, destacarmos uma coluna veloz com esse propósito, significa sacrificar sua equipagem e provisões. Assim, se mandar seus soldados enrolar seus casacos de couro de búfalo e determinar marchas forçadas sem descanso dia e noite, cobrindo o dobro da distância habitual de uma arrancada e fazer 100 *li* com o fim de tirar vantagem, os comandantes das suas três divisões cairão nas mãos do inimigo. Os homens mais fortes estarão no *front*, os exaustos cairão na retaguarda e, deste plano, apenas um décimo do seu exército chegará ao destino. Se marchar 50 *li*, com o objetivo de manobrar melhor que o inimigo, perderá o comandante de sua primeira divisão e apenas metade da sua força atingirá o objetivo. Se marchar 30 *li* com a mesma finalidade, dois terços do seu exército chegarão. Um exército sem sua equipagem está perdido; sem provisões, também; o mesmo acontece se perder as bases de suprimento.

Não podemos participar de alianças até estarmos a par dos objetivos dos nossos vizinhos. Não estaremos prontos a comandar um exército em marcha, a menos que estejamos familiarizados com a topografia do terreno: suas montanhas e florestas, seus perigos ocultos e precipícios, seus brejos e pântanos. Seremos incapazes de tirar vantagem de acidentes naturais, a menos que usemos guias locais.

Na guerra, pratique a dissimulação e terá sucesso. Mova-se apenas se houver uma vantagem real a ser obtida. Concentrar ou separar suas tropas é coisa a ser decidida pelas circunstâncias. Deixe que a sua rapidez seja a do vento; sua solidez a da floresta. Ao atacar e saquear, seja como o fogo; na imobilidade, seja como uma montanha.

Deixe seus planos ficarem secretos e impenetráveis como a noite e, quando atacar, caia como um relâmpago. Quando saquear uma região, deixe o produto ser dividido entre seus soldados; quando capturar um novo território, divida-o em lotes em benefício da soldadesca.

Pondere e delibere antes de fazer um movimento. Vencerá quem tiver aprendido o artifício do desvio. Essa é a arte de manobrar.

Pois como diz o velho *Livro de Administração do Exército*: no campo de batalha, a palavra falada não vai muito longe; daí a instituição de gongos e tambores. Também os objetos comuns não podem ser vistos claramente; daí as bandeiras e flâmulas. Gongos e tambores, bandeiras e flâmulas são meios que permitem aos ouvidos e olhos da tropa se fixarem num deter-

46

minado ponto. A tropa, assim, formando um corpo unido, impede os bravos de avançarem sozinhos ou os covardes de se retirarem sós.

Tu Mu conta uma história relacionada com Wu Ch'i, na época em que ele lutava contra o Estado de Ch'in, aproximadamente no ano 200 a.C. Antes que a batalha começasse, um dos seus soldados, um homem de audácia inigualável, atacou repentinamente sem ordem, voltando com duas cabeças inimigas. Wu Ch'i mandou imediatamente executar o homem, ao que um oficial ousou protestar, dizendo: "Este homem era um bom soldado e não merecia ser decapitado". Wu Ch'i respondeu: "Acredito realmente em que ele era um bom soldado, porém, mandei decapitá-lo porque agiu sem ordens".

Esta é a arte de manobrar grandes massas humanas.

Em noite de combate, portanto, faça uso abundante de sinais luminosos e tambores; durante o dia, bandeiras e flâmulas, como meio de influenciar os ouvidos e olhos do seu exército.

Pode-se roubar a coragem de todo um exército; um comandante-em-chefe pode ser roubado de sua presença de espírito.

Li Ch'uan conta uma anedota de Ts'ao Kuei, protegido do Duque Chuang, de Lu. Esse Estado havia sido atacado por Ch'i e o duque estava pronto para entrar na luta depois do primeiro toque de tambor dos inimigos, quando Ts'ao disse: "Agora não". Só após os tambores terem tocado pela terceira vez, deu ele ordem de ataque. Então, combateram e os homens de Ch'i foram totalmente derrotados. Perguntado mais tarde pelo duque sobre a razão de sua demora, Ts'ao Kuei respondeu: "No combate, um espírito corajoso é tudo. Ora, o primeiro toque de tambor é para criar esse espírito, mas com o segundo ele murcha e no terceiro ele desaparece. Ataquei quando o espírito deles estava em baixa e o nosso no auge. Daí termos vencido. A utilidade de um exército — uma poderosa tropa de um milhão de homens — fica na dependência de um só homem: esta é a influência do espírito!"

Ora, o espírito de um soldado é agudíssimo pela manhã; ao meio-dia começa a enfraquecer e ao anoitecer sua mente está apenas voltada para o retorno ao acampamento. Um general esperto, portanto, evita um exército quando de espírito agudo, mas ataca-o quando moroso e inclinado a retornar. Esta é a arte de estudar humores. Disciplinado e calmo, o general espera a chegada da confusão e do rebuliço entre o inimigo. Esta é a arte de conservar o autodomínio.

Estar próximo do objetivo enquanto o inimigo ainda está longe dele, esperar com calma enquanto o inimigo está se esforçando e avançando lentamente, estar bem alimentado enquanto o inimigo está faminto, eis a arte de economizar forças. Evitar interceptar um inimigo cujas bandeiras estão em perfeita ordem, abster-se de atacar um exército marchando calma e confiantemente, eis a arte de examinar as circunstâncias.

É um axioma militar não avançar morro acima contra o inimigo, nem enfrentá-lo quando está descendo. Não perseguir um inimigo que finge fugir; não atacar soldados de temperamento afiado. Não cair em esparrelas preparadas pelo inimigo. Não se meter com um exército retornando ao lar porque um homem cujo coração está voltado para lá lutará até a morte contra qualquer tentativa de impedi-lo, tornando-se assim um adversário perigoso demais para ser agarrado.

Quando cercar um exército, deixe uma saída livre. Isso não significa que permita ao inimigo fugir. O objetivo é fazê-lo acreditar que é um caminho para a segurança, evitando que lute com a coragem do desespero.

Pois não se deve pressionar demais um inimigo desesperado.

Ho Shih ilustra isso com um fato tomado da vida de Fu Yen-ch'ing. Esse general foi cercado por um exército imensamente superior de khitans, em 945 d.C. A região era árida e desértica e a pequena força chinesa ficou logo em apuros por falta de água. Os poços que furaram ficaram secos e os soldados reduzidos a espremer pedaços de lama, sugando sua umidade. As fileiras diminuíram rapidamente, até que finalmente Fu Yen-ch'ing exclamou: "Somos homens desesperados. É muito melhor morrer pela pátria que ir para o cativeiro de mãos algemadas". Uma ventania começou a soprar do nordeste e escureceu o ar com espessas nuvens de poeira. Tu Chung-wei estivera esperando até ela se abater, antes de decidir o ataque final; mas, felizmente, outro oficial, chamado Li Shou-cheng, foi mais rápido em ver uma oportunidade e disse: "Eles são muitos e nós poucos, porém, nesta tempestade de areia, é impossível perceber quantos somos; será vencedor o guerreiro mais valente, e o vento será o nosso melhor aliado". Concordando, Fu Yen-ch'ing fez um inesperado e violento assalto, com toda a cavalaria, desbaratou os bárbaros e conseguiu atravessar em segurança.

É assim a arte da guerra.

VIII

VARIAÇÃO DE TÁTICAS

Q UANDO em região difícil, não acampe. Em regiões onde cruzam-se boas estradas, una-se aos seus aliados. Não se demore em posições perigosamente isoladas. Em situação de cerco, deve recorrer a estratagemas. Numa posição desesperada, deve lutar.

Há estradas que não devem ser percorridas e cidades que não devem ser sitiadas.

Há quase 22 séculos, ao invadir o território de Hsu-chou, Ts'ao Kung desprezou a cidade de Hua-pi que ficava diretamente no seu caminho, marchando para o centro do país. Esta estratégia excelente foi premiada com a subseqüente tomada de não menos de 14 importantes cidades distritais. "Nenhuma cidade deve ser atacada desde que, se tomada, não possa ser mantida ou, se deixada, não possa causar nenhum problema". Hsun Ying, quando instado a atacar Pi-yang, respondeu: "A cidade é pequena e muito bem fortificada; mesmo que eu a tomasse, não seria um grande feito de armas; ao passo que, se eu falhar, farei de mim motivo de riso. É um grande erro desperdiçar homens tomando uma cidade quando, com a mesma quantidade de soldados, pode-se tomar uma província".

Há exércitos que não podem ser atacados; posições que não podem ser discutidas; ordens do soberano que não devem ser obedecidas.

O general, que compreende inteiramente as vantagens que acompanham as variações de táticas, sabe como comandar seus soldados. O que não compreender, por mais que esteja familiarizado com a configuração do terreno, não será capaz de transformar seu conhecimento em prática.

No ano 404 d. C., Liu Yu perseguiu o rebelde Huan Hsuan pelo Yang-tse acima e travou uma batalha naval com ele na ilha de Ch'eng-hung. As tropas leais não passavam de alguns milhares, enquanto seu adversário dispunha de forças enormes. Mas Huan Hsuan, temendo a sorte que o esperava se fosse vencido, colocou uma embarcação leve e veloz junto ao seu junco de guerra, para poder fugir, se necessário, a qualquer momento. O resultado natural foi que o espírito de luta dos seus soldados ficou totalmente abalado e quando os legalistas atacaram a favor do vento com navios de fogo, todos esforçando-se com o máximo ardor para serem o primeiro na refrega, as forças de Huan Hsuan foram desbaratadas, tiveram de queimar sua equipagem e fugiram durante dois dias e duas noites sem parar.

Nos planos de um chefe inteligente, as considerações sobre vantagens e desvantagens devem estar harmonizadas. Se a nossa expectativa de vantagem for mesclada dessa maneira, poderemos ter sucesso no cumprimento da parte essencial dos nosso planos. Se, no entanto, em meio a dificuldades, estivermos sempre preparados para tirar vantagem, podemos livrar-nos do infortúnio.

Enfraqueça os comandantes hostis infligido-lhes perdas; perturbe-os e mantenha-os constantemente ocupados; organize engodos plausíveis e faça-os correr para qualquer ponto estabelecido.

Chia Lin acrescenta a esta seção várias maneiras de infligir este dano: "Induza os melhores e mais sábios homens do inimigo a se afastar, a fim de que ele fique sem conselheiros. Introduza traidores no seu país, para que a política governamental possa se tornar ineficiente. Fomente a intriga e a falsidade, provocando a dissensão entre o governante e seus ministros. Usando qualquer plano ardiloso, provoque a dissensão entre seus homens e esgote seu tesouro. Corrompa o moral com ofertas insidiosas levando-o ao desregramento. Perturbe e debilite sua mente, presenteando-o com mulheres encantadoras".

A arte da guerra nos ensina a não confiar na probabilidade de o inimigo não vir, mas na nossa presteza em recebê-lo; não na chance de ele não atacar, mas em vez disso, no fato de que tornamos nossa posição invulnerável.

Há cinco erros perigosos que podem afetar um general; os dois primeiros são: negligência, que leva à destruição; e covardia, que leva à captura.

Depois, a debilidade da honra, que é sensível à vergonha; e um temperamento impetuoso, que pode ser provocado com insultos.

Yao Hsiang, quando enfrentado em 357 d.C. por Huang Mei, Teng Ch'iang e outros, encerrou-se em suas muralhas e se recusou a lutar. Teng Ch'iang disse: "Nosso adversário tem um temperamento colérico e é facilmente provocável; vamos fazer repetidas incursões e derrubar suas fortificações, fazendo-o ficar zangado e sair. Assim que conseguirmos levar seu exército ao combate, ele estará condenado a ser nossa presa". Esse plano foi posto logo em prática. Yao Hsiang saiu para guerrear, foi atraído até San-yuan pela pretensa fuga do inimigo e finalmente atacado e morto.

O último desses erros é excesso de solicitude com seus soldados, expondo-o a preocupações e perturbações, pois na longa marcha as tropas sentirão mais a derrota ou, no melhor dos casos, o prolongamento da guerra, que será a conseqüência.

Esses são os cinco pecados habituais de um general, ruinosos para a condução de uma guerra. Quando um exército é derrotado e seu comandante morto, o motivo deve ser certamente procurado entre esses cinco erros perigosos. Que eles sejam objeto de meditação.

IX

O EXÉRCITO EM MARCHA

QUEM não for precavido e fizer pouco dos seus adversários, certamente será capturado por eles. Quando fizer o exército acampar, passe rapidamente pelas montanhas e fique nas proximidades dos vales.

Wu-tu Ch'iang era um capitão de salteadores no tempo do último Han, aproximadamente 50 d. C., e Ma Yuan foi enviado para exterminar seu bando. Tendo Ch'iang encontrado refúgio nas colinas, Ma Yuan não tentou forçar um combate, mas apoderou-se de todas as posições favoráveis à obtenção de suprimentos de água e forragem. Ch'iang ficou logo em tão desesperada necessidade de mantimentos, que foi obrigado a uma rendição total. Ele não

conhecia a vantagem de manter-se na vizinhança dos vales.

Acampe em lugares altos, de frente para o
sol. Não em colinas altas, mas em montículos
ou outeiros acima do terreno circundante. Não
escale picos com o objetivo de combater.
Depois de atravessar um rio, afaste-se
dele. Quando uma força invasora atravessa um
rio, na sua marcha para a frente, não adiante-
se para encontrá-la no meio da corrente. Será
melhor deixar metade do exército atravessar e
depois desencadear o ataque.

Li Ch'uan alude à grande vitória obtida por Han Hsin contra Lung Chu no Rio
Wei, cerca de 100 a. C.: "Os dois exércitos
estavam frente a frente nas margens opos-
tas do rio. De noite, Han Hsin mandou seus
homens pegarem uns dez mil sacos cheios
de areia e construírem uma barragem,
pouco mais acima. Depois, cruzou o rio à
testa de metade do seu exército e atacou
Lung Chu; mas pouco depois, fingindo ter
fracassado no seu intento, retirou-se
apressadamente para a margem. Lung Chu
ficou muito orgulhoso por esse sucesso
inesperado, e exclamou: 'Tenho certeza de
que Han Hsin foi mesmo covarde!' Atirou-
se em sua perseguição e começou, por sua
vez, a atravessar o rio. Han Hsin, então,

mandou um destacamento separar os sacos de areia, o que deu passagem a um grande volume de água, que varreu e impediu uma grande parte do exército de Lung Chu de atravessar. Ele, então, voltou-se para a força que havia sido separada e aniquilou-a, estando o próprio Lung Chu entre os mortos. O resto do exército, na margem, dispersou-se e fugiu em todas as direções".

Quando estiver ansioso para combater, não vá encontrar o invasor próximo ao rio que ele terá de atravessar. Em vez disso, ataque seu navio acima do navio do inimigo e de frente para o sol. Não suba o rio para enfrentar o adversário. Nossa frota não deve ser ancorada rio abaixo em relação à do inimigo, pois assim ele será capaz de tirar vantagem da correnteza e derrotá-la.

Ao atravessar pântanos salgados, sua única preocupação deverá ser sair deles o mais depressa possível, por causa da falta de água potável, da má qualidade do pasto e, finalmente, mas nem por isso menos importante, porque são baixos, planos e expostos ao ataque. Se forçado a combater num pântano, procure ter água e pasto por perto, e se colocar de costas contra um grupo de árvores.

Em terreno nivelado e seco, ocupe uma posição facilmente acessível com terreno em elevação à sua direita e na retaguarda, de forma a que o perigo venha de frente e haja segurança atrás.

Todos os exércitos preferem os terrenos altos aos baixos e lugares ensolarados aos sombreados. Os terrenos baixos não são apenas úmidos mas insalubres e também desvantajosos para combater. Se se preocupar com seus soldados e acampar em terreno duro, seu exército ficará livre de doenças de toda espécie e isso significará vitória.

Quando chegar a uma colina ou margem, ocupe o lado ensolarado, com o declive à direita, às suas costas. Será melhor para os seus soldados e também utilizará as vantagens naturais do terreno.

Quando, em conseqüência de chuvas fortes nas cabeceiras, um rio que deseje vadear engrossar e ficar espumante, espere até que se acalme. Regiões onde há penhascos escarpados com torrentes entre eles, com profundos poços naturais, lugares fechados, moitas espessas, charcos e fendas, não devem ser procuradas ou então devem ser abandonadas com a maior rapidez possível. Enquanto nos afastamos desses lugares, devemos fazer com que o inimigo se aproxime deles; quando ficamos de frente para eles, devemos colocar o inimigo de costas.

Se na vizinhança do seu acampamento houver alguma região montanhosa, lagoas cercadas de plantas aquáticas, charcos cheios de junco, ou bosques com plantas rasteiras, eles devem ser meticulosamente limpos e examinados; pois são lugares onde homens emboscados ou espiões traiçoeiros provavelmente estarão à espreita.

Quando o inimigo estiver ao alcance da mão e permanecer silencioso, está confiando na solidez natural da sua posição. Quando ficar afastado e tentar provocar um combate, estará ansioso para que o adversário avance. Se o lugar do seu acampamento for de fácil acesso, estará preparando uma armadilha.

Movimentos entre as árvores de uma floresta mostram que o inimigo está avançando. Se um batedor vê que as árvores de uma floresta estão se mexendo e se sacudindo, talvez seja porque estão sendo cortadas para abrir uma passagem para a marcha do inimigo. A aparição de uma quantidade de tapumes no meio de capim espesso significa que o inimigo deseja nos tornar desconfiados.

O súbito esvoaçar de pássaros é sinal de uma emboscada nesse lugar. Animais assustados indicam que um ataque repentino está a caminho.

Quando houver poeira erguendo-se numa coluna alta, é sinal de carros de guerra avançando; quando a poeira é baixa e espalhada por uma grande área, denuncia a aproximação de infantaria. Quando espalha-se em várias direções, mostra que destacamentos foram enviados para buscar lenha. Algumas nuvens de poeira movendo-se de um lado para outro significa que o exército está acampando.

Sussurros e aumento de preparos são sinais de que o inimigo está para avançar. Linguagem violenta e movimento para a frente como se atacasse são sinais de que ele recuará. Quando os carros leves saem em primeiro lugar e tomam posições nos flancos, é sinal de que o inimigo está entrando em forma para o combate. Propostas de paz desacompanhadas de um pacto juramentado indicam uma conspiração. Quando há muita correria e os soldados caem nas fileiras, significa que chegou o momento crítico. Quando alguns forem vistos avançando e outros recuando, trata-se de um engodo.

Em 279 a.C., T'ien Tan, do Estado de Ch'i, estava ocupadíssimo na defesa de Chi-mo contra as forças de Yen, comandadas por Ch'i Chieh.

T'ien Tan falou abertamente: "Meu único medo é que o exército yen possa cortar os narizes dos prisioneiros ch'i e colocá-los na primeira fila para lutarem contra nós; isso será a desgraça da nossa cidade".

O adversário, ciente dessas palavras, agiu imediatamente de acordo com a sugestão; porém os que estavam dentro da cidade ficaram enfurecidos ao ver seus compatriotas mutilados e, temendo cair nas mãos do adversário, encarniçaram-se na defesa mais obstinadamente que nunca.

Mais uma vez T'ien Tan enviou espiões convertidos, que transmitiram ao inimigo as seguintes palavras: "O que eu mais temo é que os homens de Yen possam escavar os túmulos dos nossos ancestrais, fora da cidade e, infligindo essa indignidade aos nossos antepassados, nos torne covardes."

Incontinenti, os sitiantes escavaram todos os túmulos e queimaram os corpos encontrados. E os habitantes de Chi-mo, testemunhando dos muros da cidade essa profanação, choraram colericamente e ficaram impacientes para sair e lutar, com a raiva decuplicando.

T'ien Tan viu, então, que seus soldados estavam preparados para tudo. Porém, em lugar de uma espada, empunhou uma picareta e distribuiu outras entre os seus melhores guerreiros, enquanto as fileiras fora formadas por suas mulheres e concubinas. Então, dividiu as rações restantes e determinou aos homens que se saciassem. Mandou as tropas regulares ficarem escondidas e os muros foram guarnecidos por homens e mulheres velhos e fracos. Isto feito, enviou mensageiro ao acampamento inimigo para negociar a rendição, ao que o exército yen começou a gritar de alegria. T'ien Tan arrecadou também 20.000 onças de prata do povo, fazendo com que os cidadãos ricos de Chi-mo as envias-sem ao general yen com o pedido de que, quando a cidade fosse tomada, não permitisse que seus lares fossem saqueados ou suas mulheres maltratadas.

Ch'i Chieh, de muito bom humor, deferiu o pedido mas seu exército tornou-se crescentemente indolente e relaxado. Enquanto isso, T'ien Tan reuniu um milhar de bois, enfeitou-os com seda vermelha, pintou seus corpos à maneira de um dragão, com listras coloridas, e prendeu lâminas afiadas em seus chifres, bem como caniços embebidos em sebo em seus rabos. Quando caiu a noite, acendeu as pontas dos caniços e conduziu os bois por entre uma quantidade de buracos que fez nas muralhas, apoiando-os com uma força de 5 mil guerreiros armados de picaretas. Os animais, enlouquecidos pela dor, invadiram furiosamente o acampamento inimigo, onde causaram muita confusão e medo, pois seus rabos funcionavam como tochas, iluminando os desenhos horrendos dos seus corpos e as armas nos chifres matavam ou feriam quem chegasse ao seu alcance. Nesse ínterim, o grupo de 5 mil rastejou com as bocas amordaçadas e atirou-se sobre o inimigo. No mesmo momento, um estrondo apavorante elevou-se da cidade, pois todos os que haviam ficado nela faziam o maior barulho possível, tocando tambores, martelando em panelas de bronze, até que o céu e a terra ficassem convulsionados pela bulha.

Aterrorizado, o exército yen fugiu em desordem, entusiasticamente perseguido pelos soldados de Ch'i, que conseguiram matar seu general, Ch'i Chieh. O resultado do combate foi a recuperação definitiva de umas 70 cidades até então em poder do Estado de Ch'i.

Quando os soldados estão curvados sobre suas lanças, estão a ponto de desmaiar por falta de alimentação. Se os que, mandados apanhar água, forem os primeiros a beber, o exército está sedento. Se o inimigo vê um proveito a ser tirado e não faz nenhum esforço para isso, os soldados estão exaustos.

Se há pássaros reunidos em algum ponto, este está desocupado: um meio hábil de se saber que o inimigo abandonou secretamente seu acampamento.

Clamor noturno indica nervosismo. O medo torna os homens inquietos, levando-os a gritar de noite para recuperar a coragem. Se há confusão no acampamento, o general tem pouca autoridade. Se as flâmulas e bandeiras mudarem de lugar, há uma sedição em marcha. Se os oficiais estão irritados, significa que os soldados estão cansados.

Quando um exército alimenta seus cavalos com cereais e mata seu gado para comer e quando os homens não penduram suas panelas sobre as fogueiras, mostrando que não querem voltar às tendas, é claro que estão determinados a lutar até morrer.

O rebelde Wang Kuo, de Liang, estava cercando a cidade de Ch'en-ts'ang, tendo sido mandados contra ele Huang-fu Sung, no comando supremo, e Tung Cho. Este defendia medidas rápidas, porém, Sung fez ouvidos moucos ao seu conselho. Finalmente, os rebeldes foram completamente derrotados e começaram a depor espontaneamente as armas.

Sung passou então a defender o prosseguimento do ataque, mas Cho disse: "É um princípio bélico não perseguir homens desesperados, nem acossar uma tropa em retirada".

Sung respondeu: "Isso não se aplica aqui. O que eu sugiro atacar é um exército exausto, não uma tropa em retirada; com soldados disciplinados, estarei caindo sobre uma multidão desorganizada e não sobre um bando de homens desesperados". Imediatamente, iniciou o ataque, sem apoio do colega, desbaratando o inimigo e matando Wang Kuo.

Quando são enviados mensageiros com cumprimentos verbais, é um sinal de que o inimigo deseja trégua. Se suas tropas marcham furiosamente e continuam frente a frente com as nossas durante muito tempo, sem começar o combate nem retirar exigências, a situação é das que requerem muita vigilância e circunspecção.

Começar com empáfia para, depois, temer o número de inimigos, demonstra uma total falta de inteligência.

Se nossos soldados não são em quantidade maior que os do inimigo, isso nada tem de extraordinário; significa apenas que não poderemos atacar frontalmente. A única coisa que podemos fazer é reunir todas as forças disponíveis, manter o inimigo sob rigorosa observação e conseguir reforços.

A visão de homens sussurrando em grupinhos ou falando baixo revela inimizade entre superiores e inferiores. Recompensas muito freqüentes significam que o inimigo está no fim dos seus recursos, pois quando um exército é violentamente pressionado, há sempre medo de motim e são dadas gratificações generosas para manter os soldados de bom humor. Castigos em excesso denunciam uma situação de terríveis dificuldades com o relaxamento da disciplina e torna-se necessária uma severidade invulgar para obrigar os soldados a cumprirem o dever.

Se os soldados forem punidos antes de se afeiçoarem ao chefe, não demonstrarão que são submissos e, a menos que se submetam, serão praticamente inúteis. Se, quando os soldados se tiverem afeiçoado, os castigos não forem reforçados, continuarão inúteis. Portanto, os soldados devem ser tratados em primeiro lugar com humanidade, porém, mantidos sob controle, mediante uma rígida disciplina. Este é um caminho certo para a vitória.

Yen Tzu (493 a.C.) disse sobre Ssu-ma Jang-chu: "Suas virtudes civis o tornaram benquisto pelo povo; seus feitos marciais mantiveram o inimigo em pânico. O comandante ideal reúne cultura e temperamento bélico; a profissão das armas exige uma combinação de dureza e suavidade".

Se, ao treinar soldados, as ordens forem diariamente reforçadas, o exército será bem disciplinado; do contrário, sua indisciplina será nefasta.

Se um general demonstra confiança em seus soldados, mas insiste sempre em que suas ordens sejam obedecidas, a vantagem será mútua. A arte de dar ordens não é procurar retificar pequenos erros nem ser dominado por pequenas dúvidas. A vacilação e a meticulosidade exagerada são os meios mais eficazes de solapar a confiança de um exército.

X

TERRENO

PODEMOS distinguir seis tipos de terrenos: o acessível, o complicado, o retardador, os desfiladeiros, os cumes escarpados e posições a grande distância do inimigo.

O terreno que pode ser livremente atravessado de qualquer lado é chamado *acessível*. Em terreno assim, derrota-se o inimigo ocupando os pontos elevados e iluminados pelo sol e protege-se cuidadosamente nossa linha de abastecimento. Então, está-se em condições de combater com vantagem.

O terreno que pode ser abandonado, mas é difícil de ser reocupado, é denominado *complicado*. De uma posição dessas, se o inimigo estiver despreparado para a nossa chegada, podemos investir e derrotá-lo. Mas se estiver preparado e formos incapazes de derrotá-lo, se a volta torna-se impossível, seguir-se-á o desastre.

Quando a posição é tal que nenhum dos lados vencerá fazendo o primeiro movimento, chama-se terreno *retardador* e a situação permanece um beco sem saída. Numa posição desse tipo, apesar de o inimigo poder oferecer uma atraente isca, é aconselhável não avançar e, sim, recuar, atraindo por sua vez o inimigo. Então, quando parte de seu exército tiver saído, pode-se desfechar o ataque com vantagem.

No que toca aos *desfiladeiros*, se pudermos ocupá-los primeiro, deveremos guarnecê-los fortemente e esperar a chegada do inimigo. Se este antecipar-se na ocupação de um desfiladeiro, não devemos ir atrás dele se o terreno estiver totalmente guarnecido, e sim quando mal protegido.

Com relação aos *picos escarpados*, se precedermos nossos adversários, devemos ocupar os locais claros e altos e esperar que ele chegue.

Chang Yu conta a seguinte passagem de P'ei Hsing-chien (d.C. 619-682), mandado numa expedição punitiva contra as tribos Turkic.

Ao crepúsculo, como de costume, montou seu acampamento, fortificando-o posteriormente com paliçada e fosso, quando, de repente, determinou que o exército mudasse as instalações para uma colina próxima. Essa decisão desgostou muito seus oficiais, que protestaram aos brados contra o esforço extra que os soldados iriam despender. P'ei Hsing-chien, todavia, não ligou para as reclamações e fez o acampamento ser transferido o mais depressa possível. Na mesma noite, caiu uma forte tempestade inundando o local anterior do acampamento, que ficou sob quatro metros de água. Os oficiais recalcitrantes ficaram espantados com o acontecido e confessaram seu erro.

"Como soube o que ia acontecer?", perguntaram.

P'ei Hsing-chien respondeu: "Daqui por diante, contentem-se em obedecer ordens sem fazer perguntas desnecessárias".

Lembrem-se, se o inimigo tiver ocupado picos escarpados antes de vocês, não o sigam; pelo contrário, recuem e tratem de atraí-lo.

No tocante a *posições a grande distância do inimigo*, se as forças de dois exércitos forem iguais, não será fácil provocar um combate. E lutar será desvantajoso.

Às vezes, um exército fica exposto a calamidades não decorrentes de causas naturais, mas de erros pelos quais o general é responsável. São elas: fugas; insubordinação; colapso; ruína; desorganização; derrota total.

Outra condição semelhante é uma força ser atirada contra outra dez vezes maior. O resultado será a *fuga* da primeira.

Quando os soldados rasos são muito fortes e seus oficiais muito fracos, o resultado é a *insubordinação*.

Tu Mu cita o caso infeliz de T'ien Pu, mandado a Wei, em 821 d.C., com ordens de comandar um exército contra Wang T'ing-ts'ou. Mas durante o tempo todo em que esteve no comando, seus soldados o trataram com o máximo desprezo e zombaram abertamente da sua autoridade, cavalgando burros pelo acampamento milhares de vezes por dia. T'ien Pu foi impotente para pôr um ponto final nesse tipo de conduta e, quando alguns meses depois fez uma tentativa de contatar o inimigo, suas tropas viraram as costas e dispersaram-se em todas as direções. Depois disso, o infeliz suicidou-se, cortando a garganta.

Quando os oficiais são muito fortes e os soldados rasos muito fracos, o resultado é o *colapso*.

Quando os oficiais superiores são irascíveis e insubordinados e, ao contatar o inimigo, dão-lhe combate por conta própria, em conseqüência de um sentimento de rancor, antes do comandante-em-chefe saber se está ou não em posição de lutar, o resultado é a *ruína*.

Quando o general é fraco e sem autoridade, quando suas ordens não são claras e compreensíveis, quando não há obrigações determinadas para os oficiais e os soldados e as fileiras são formadas de forma desleixada e a esmo, o resultado é *desorganização absoluta*.

Quando um general, incapaz de calcular as forças inimigas, permite que uma força inferior ataque uma superior, ou atira um destacamento fraco contra um forte, e deixa de colocar soldados escolhidos na linha de frente, o resultado pode ser a *derrota total*.

Há seis formas de atrair a derrota: negligenciar o cálculo da força do inimigo; falta de autoridade; treinamento imperfeito; ira injustificável; não observância da disciplina; e incapacidade de usar homens escolhidos. Tudo isso deve ser cuidadosamente levado em conta pelo general a quem foi dado um posto de responsabilidade.

A formação natural da região é o melhor aliado do soldado; mas a capacidade de estimar o adversário, de comandar as forças da vitória e de calcular astutamente as dificuldades, perigos e distâncias constitui o teste de um grande general. Quem conhecer essas coisas e, no combate, puser em prática esses conhecimentos, vencerá seus combates. Quem não os conhecer nem os praticar, certamente será derrotado.

Se tiver certeza de que a luta resultará em vitória, então você deve lutar, apesar do governante proibir; caso contrário, então não deve lutar, mesmo com ordem do governante.

O general que avança sem desejar fama e recua sem temer o descrédito, cujo único pensamento é proteger seu país e prestar um bom serviço ao soberano, é a jóia do reino.

Trate seus soldados como seus filhos e eles o seguirão aos vales mais profundos; trate-os como filhos queridos e o defenderão com o próprio corpo até a morte.

Tu Mu conta do famoso General Wu Ch'i: ele usava as mesmas roupas e comia a mesma alimentação do seu soldado mais inferior, recusava tanto um cavalo para montar como uma esteira para dormir, carregava suas próprias rações num embrulho e participava dos sofrimentos dos seus homens. Um deles estava padecendo de um abcesso e o próprio Wu Ch'i sugou o veneno. A mãe do soldado, ao saber disso, começou a chorar e a se lamentar. Alguém perguntou-lhe: "Está chorando por quê? Seu filho não passa de um soldado raso e apesar disso o comandante-em-chefe estirpou o veneno da ferida". A mulher respondeu: "Há muitos anos, o Sr. Wu fez a mesma coisa por meu marido que, depois disso, nunca mais o deixou e finalmente encontrou a morte nas mãos do inimigo. E agora, que fez o mesmo por meu filho, este também vai tombar lutando, não sei onde".

Se, porém, você for indulgente, mas incapaz de fazer valer sua autoridade; bondoso, porém incapaz de fazer cumprir suas ordens; incapaz, além disso, de dominar a desordem, então seus soldados ficarão iguais a crianças estragadas; ficarão inúteis para o que for.

Tu Mu escreve: Em 219 d.C., quando Lu Meng estava ocupando a cidade de Chiang-ling, deu ordens severas a seus soldados para não molestar os habitantes nem tomar-lhes nada à força. Apesar disso, um certo oficial sob seu comando, que era seu conterrâneo, arriscou-se a tomar um chapéu de palha de bambu pertencente a um dos habitantes, para usá-lo por cima do capacete regulamentar, como proteção contra a chuva. Lu Meng decidiu que o fato dele ser também natural de Ju-nan não lhe permitia disfarçar uma clara quebra da disciplina e, ao mesmo tempo em que ordenou sua execução sumária, as lágrimas correram-lhe pelo rosto. Este gesto de severidade encheu o exército de um pavor enorme e, daí em diante, mesmo coisas caídas na estrada não eram apanhadas.

Se sabemos que nossos homens estão em condições de atacar, mas sem estarem cientes de que o inimigo não está, chegamos apenas a meio caminho da vitória. Se sabemos que o inimigo está em condições de atacar, mas não sabe que os nossos soldados não estão, chegamos apenas a meio caminho da vitória. Se sabemos que o inimigo está em condições e que nossos homens também estão, mas desconhecem que a natureza do terreno torna o combate impraticável, continuamos apenas a meio caminho da vitória.

O soldado experiente, uma vez em marcha, nunca fica desorientado; uma vez que levantou acampamento, nunca fica perplexo. Daí o ditado: se você conhece o inimigo e a si mesmo, sua vitória não será posta em dúvida; se você conhece o Céu e a Terra, pode torná-la completa.

XI

AS NOVE SITUAÇÕES

A arte da guerra reconhece nove variedades de terreno: dispersivo; fácil; controverso; aberto; de estradas cruzadas; sério; difícil; orlado; desesperador.

Quando um comandante está lutando em seu próprio território, este é um *terreno dispersivo*, assim chamado porque os soldados, estando próximos aos seus lares e ansiosos para ver mulheres e filhos, ficam à espera de aproveitar a primeira oportunidade dada por um combate para espalharem-se por todos os lados.

Quando penetra num território hostil, mas não a grande distância, é um *terreno fácil*.

A região que não oferece grande vantagem para nenhum dos lados é um *terreno controverso*.

Quando Lu Kuang estava voltando de sua vitoriosa expedição ao Turquestão, em 385 d.C., tendo chegado à distante Iho, carregado de despojos, Liang Hsi, administrador de Liang-chou, tirando partido da morte de Fu Chien, Rei de Ch'in, quis barrar sua entrada na província.

Yang Han, governante de Kao-ch'ang, aconselhou Liang Hsi, dizendo: "Lu Kuang saiu incólume de suas vitórias no ocidente e seus soldados estão vigorosos e animados. Se o enfrentarmos nas areias traiçoeiras do deserto não poderemos combatê-lo; precisamos, portanto, tentar um plano diferente. Apressemo-nos a ocupar o desfiladeiro na entrada do passo Kao-wu, cortando-lhe, dessa forma, o abastecimento de água e quando seus soldados estiverem prostrados pela sede, poderemos ditar nossos próprios termos sem atacar. Ou, se o senhor achar que o passo a que me refiro fica muito longe, podemos organizar uma resistência contra ele no passo I-wu, que fica mais perto. A destreza e os recursos do próprio Tzu-fang seriam gastos em vão contra a fortaleza dessas duas posições".

Liang Hsi, recusando-se a seguir o conselho, foi esmagado e desbaratado pelo invasor.

A região onde cada lado tem liberdade de movimentos chama-se *terreno aberto*.

A área que é chave para três estados contíguos, de forma que o primeiro a ocupá-la tenha a maior parte do império sob suas ordens, chama-se *terreno de estradas cruzadas*.

Quando um exército tiver penetrado no âmago de um país hostil, deixando para trás uma quantidade de cidades fortificadas, denomina-se um *terreno sério*.

Florestas montanhosas, precipícios escarpados, charcos e pântanos, toda a região trabalhosa de atravessar, são um *terreno difícil*.

A região que se estende ao longo de gargantas estreitas e da qual só podemos nos retirar por trilhas tortuosas, de forma a que uma pequena quantidade de inimigos seja suficiente para esmagar um grande corpo de nossas tropas, denomina-se *terreno cercado*.

A área de onde só podemos ser salvos da destruição combatendo sem parar denomina-se *terreno desesperador*.

Contudo, em terreno dispersivo, não lute. Em terreno fácil, não pare. Em terreno controverso, não ataque.

Em terreno aberto, não tente barrar o caminho do inimigo. Em terreno de estradas cruzadas, una-se aos seus aliados.

Em terreno sério, saqueie. No difícil, marche sempre.

Em terreno cercado, recorra a estratagemas.

Em terreno desesperador, lute.

Os que foram no passado chamados de chefes de grande habilidade sabiam como introduzir uma cunha entre a frente e a retaguarda do inimigo; obstar a cooperação entre suas divisões grandes e pequenas; impedir as boas tropas de salvar as ruins, os oficiais de reunir seus homens. Quando os soldados inimigos foram dispersados, evitaram que se reunissem; mesmo quando essas forças estavam unidas, deram um jeito de mantê-las em desordem. Quando lhes era vantajoso, avançavam; do contrário, mantinham-se imóveis.

Se perguntado como enfrentar com sucesso uma grande tropa inimiga em condições de combater e preparada para marchar para a batalha, responda: "Começando por tomar uma coisa que o inimigo conserve com interesse; então ele ficará sujeito à sua vontade".

A rapidez é a essência da guerra. Tire partido da falta de preparação do inimigo, marche por caminhos onde não é esperado e ataque pontos desprotegidos.

Em 227 d.C., Meng Ta, governador de Hsin-ch'eng sob o imperador wei, Wen Ti, estava meditando sobre a defecção da Casa de Shu e entrou em correspondência com Chu-ko Liang, primeiro-ministro daquele Estado. O general wei, Ssu-ma I, era então o governador militar de Wan e foi informado da traição de Meng Ta, pondo-se imediatamente a caminho, com um exército, para evitar sua sedição, tendo-o previamente adulado com uma mensagem de conteúdo amistoso.

Os oficiais de Ssu-ma I o procuraram e disseram: "Se Meng Ta uniu-se a Wu e Shu, o assunto precisa ser completamente investigado antes de atacarmos".

Ssu-ma I retrucou: "Meng Ta é um homem sem princípios e devemos partir e puni-lo imediatamente, enquanto ainda está vacilando e antes que tire a máscara".

Depois, numa série de marchas forçadas, levou seu exército até as muralhas de Hsin-ch'eng no espaço de oito dias. Ora, Meng Ta havia dito, previamente, numa carta a Chu-ko Liang: "Wan está a 1.200 *li* daqui. Quando a notícia da minha revolta chegar a Ssu-ma I, este imediatamente informará ao seu Senhor Imperial, porém se terá passado um mês inteiro antes de serem dados os primeiros passos e aí minha cidade já estará perfeitamente fortificada. Além disso, Ssu-ma I, evidentemente, não virá em pessoa e os generais que enviar contra nós, não merecerão que nos preocupemos".

A carta seguinte, no entanto, estava cheia de consternação: "Embora tenham passado apenas oito dias desde que renunciei à minha obediência, um exército já está às portas da cidade. Que milagrosa rapidez é esta!" Duas semanas mais tarde, Hsin-ch'eng tinha caído e Meng Ta perdido a cabeça.

Em 621 d.C., Li Ching foi enviado de K'uei-chou para Ssu-ch'uan, a fim de subjugar Hsiao Hsien, o rebelde vitorioso, que se tinha investido de imperador em Ching-chou Fu, de Hupeh. Era outono e o Yang-tse, estando caudaloso, Hsiao Hsien jamais sonhou que seu adversário tivesse a coragem de descer por suas gargantas e, conseqüentemente, não se preparou. Mas Li Ching embarcou seu exército sem perda de tempo e exatamente na hora da partida seus outros generais pediram-lhe para adiar até que o rio estivesse em condições menos perigosas de navegação.

Li Ching respondeu: "Para o soldado, dominar a rapidez é de suprema importância e ele jamais deve perder oportunidades. Esta é a hora de atacar, antes que Hsiao Hsien saiba que reunimos um exército. Se aproveitarmos o presente momento, em que o rio está caudaloso, poderemos surgir diante da capital com atordoante rapidez, como o trovão, que é ouvido antes que se tenha tempo de tapar os ouvidos. Este é o grande princípio da guerra. Mesmo que ele chegue a saber da nossa aproximação, vai ter de recrutar seus soldados com tanta pressa que não estará em condições de se opor a nós. Assim, os frutos da vitória nos pertencerão".

Aconteceu tudo como o previsto e Hsiao Hsien foi obrigado a render-se, estipulando nobremente que seu povo seria poupado e só ele sofreria a pena de morte.

São os seguintes os princípios a serem observados por uma força invasora: quanto mais profundamente penetrar num país, maior deverá ser a solidariedade entre os soldados e, dessa forma, os defensores não levarão a melhor; faça pilhagens em território fértil para suprir seu exército de alimentos; examine cuidadosamente o bem-estar dos seus homens e não os sobrecarregue; concentre sua energia e armazene suas forças; e mantenha seu exército sempre em movimento e delineie planos insondáveis.

Ch'en relembra a linha de ação adotada em 224 a.C. pelo famoso General Wang Chien, cujo gênio militar contribuiu amplamente para o sucesso do primeiro imperador Ch'en. Ele invadiu o Estado de Ch'u, onde foi feito um recrutamento geral para opor-se a ele. Porém, duvidando do temperamento dos seus soldados, declinou todos os convites para lutar e permaneceu estritamente na defensiva. O general de Ch'u, em vão, tentou forçá-lo a combater; dia após dia, Wang Chien manteve-se dentro de suas muralhas, sem sair, porém dedicando todo o seu tempo e energia a ganhar a afeição e confiança dos seus homens. Tratou de mantê-los bem alimentados, partilhando com eles suas próprias refeições, dando-lhes facilidades para banharem-se e usando todos os métodos de sábia indulgência para consolidá-los num corpo leal e homogêneo.

Depois de algum tempo, pediu a algumas pessoas que descobrissem como os homens estavam se divertindo. A resposta foi que estavam disputando tiro ao alvo e salto em distância. Quando Wang Chien soube que eles estavam ocupados nessas disputas atléticas, viu que a disposição deles havia ultrapassado o ponto necessário, estando preparados para o combate. Nessa ocasião, o exército ch'u, depois de tê-los desafiado repetidamente, marchou para leste, enojado. Wang Chien imediatamente levantou seu acampamento, acompanhou-os e, na batalha que se seguiu, derrotou-os com grande carnificina.

Pouco depois, Ch'u inteiro foi conquistado por Wang Chien.

Coloque seus soldados em posições sem saída e eles preferirão morrer a fugir. Se tiverem de enfrentar a morte, não há o que não possam conseguir. Oficiais e soldados, juntos, farão o maior esforço. Soldados em situações desesperadas perdem a sensação de medo. Se não houver onde se refugiarem, agüentarão firmes. Se estiverem no interior de um país hostil, mostrarão um *front* obstinado. Se não houver ajuda, lutarão decididamente. Assim, sem esperar serem mandados, os soldados estarão constantemente alerta e, sem que lhes seja pedido, cumprirão o seu desejo; serão fiéis sem restrições; pode-se confiar neles, sem que seja preciso dar ordens.

Proíba os augúrios e afaste as dúvidas supersticiosas. Então, até que a própria morte chegue, nenhuma calamidade deve ser temida.

Se os soldados não estiverem sobrecarregados de dinheiro, não é porque não gostem de riquezas; se suas vidas não são excessivamente longas, não é porque não tenham inclinação para a longevidade.

No dia em que forem mandados combater, talvez seus soldados chorem, uns umedecendo suas roupas, outros atirando-se ao chão, deixando as lágrimas escorrerem pelo rosto, não porque tenham medo, mas porque todos têm a firme resolução de vencer ou morrer. Mas uma vez levados às trincheiras, mostrarão a coragem de um Chuan Chu ou um Ts'ao Kuei.

Chuan Chu, nascido no Estado de Wu e contemporâneo do próprio Sun Tzu, foi contratado por Kung-tzu Kuang, mais conhecido como Ho Lu Wang, para assassinar seu soberano, Wang Liao, com um punhal escondido na barriga de um peixe servido num banquete. Teve sucesso na tentativa, mas foi imediatamente feito em pedaços pela escolta do rei. Isso aconteceu em 515 a.C.

O outro herói citado, Ts'ao Kuei, executou a façanha que tornou seu nome famoso, 166 anos antes, em 681 a.C. Lu havia sido derrotado três vezes por Ch'i e estava a ponto de concluir um tratado de entrega de um grande pedaço do território, quando Ts'ao Kuei, subitamente, apoderou-se de Huan Kung, Duque de Ch'i, que estava nos degraus do altar, apontando um punhal contra seu peito. Nenhum dos partidários do duque moveu um músculo e Ts'ao Kuei exigiu a restituição completa, declarando que Lu estava sendo injustamente tratado porque era um Estado menor e fraco.

Huan Kung, em risco de vida, foi obrigado a concordar, ao que Ts'ao Kuei afastou o punhal e silenciosamente voltou ao seu lugar entre os presentes apavorados, mal tendo mudado de cor.

Como era de esperar, o duque quis mais tarde repudiar a troça, mas seu sábio e velho conselheiro, Kuan Chung, mostrou-lhe o perigo de quebrar a palavra dada, e o resultado foi que esse golpe atrevido devolveu a Lu tudo o que ele havia perdido em três batalhas anteriores.

O tático habilidoso pode ser comparado à shuai-jan. A shuai-jan é uma cobra encontrada nas Montanhas Ch'ang. Atingida na cabeça, reage com o rabo; atacada no rabo, responde com a cabeça; agredida no meio, ataca com a cabeça e o rabo.

À pergunta se um exército pode ser levado a imitar a shuai-jan, a resposta é afirmativa. Pois os homens de Wu e de Yueh são inimigos; todavia, se estiverem atravessando um rio num mesmo barco e forem apanhados por uma tempestade, darão ajuda uns aos outros, como a mão esquerda auxilia a direita.

Não é suficiente acreditar-se na peia de cavalos e no afundamento de rodas de carroças no solo. Não é bastante tornar a fuga impossível por esses meios mecânicos. Não teremos sucesso, a menos que nossos soldados tenham tenacidade e unidade de objetivo e, acima de tudo, um espírito de cooperação harmoniosa. É essa a lição que podemos tirar da shuai-jan.

O princípio pelo qual deve-se conduzir um exército, é estabelecer um padrão de coragem que todos devem atingir.

Como obter o máximo, tanto da força como da fraqueza, é um problema que envolve o exato uso do terreno.

O general habilidoso conduz seu exército como se estivesse levando um único homem pela mão.

Compete a um general ser calado e, assim, assegurar o sigilo; honesto e justo, mantendo dessa forma a ordem. Deve ser capaz de confundir seus oficiais e soldados com relatórios e

aparências falsas, mantendo-os em total ignorância.

Em 88 d. C. Pan Ch'ao entrou em
campanha com 25 mil soldados de Khotan
e outros Estados da Ásia Central, com o
objetivo de esmagar Yarkand. O Rei de
Kutcha respondeu, despachando seu comandante-em-chefe para socorrer o local
com um exército obtido dos reinos de
Wen-su, Ku-mo e Wei-t'ou, totalizando 50
mil homens.

Pan Ch'ao convocou seus oficiais e
também o Rei de Khotan para um conselho de guerra, no qual disse: "Nossas forças são agora em número menor e incapazes de avançar contra o inimigo. O melhor
plano, portanto, para nós, é a separação e
a dispersão em várias direções. O Rei de
Khotan partirá pela estrada leste e eu
retornarei pela oeste. Vamos esperar até o
toque de anoitecer e depois partir".

Pan Ch'ao, então, libertou secretamente os prisioneiros que havia feito e
assim o Rei de Kutcha ficou ciente dos
seus planos. Estimulado pela notícia, o rei
imediatamente colocou-se à testa de 10
mil cavaleiros para barrar a retirada de
Pan Ch'ao pelo oeste, enquanto o Rei de
Wen-su partia para leste com 9 mil cavaleiros, com ordem de interceptar o Rei de
Khotan.

Tão logo Pan Ch'ao soube da partida de ambos, reuniu suas divisões, mantendo-as à mão, e ao primeiro canto do galo atirou-as contra o exército de Yarkand, que continuava acampado. Os bárbaros, tomados de pânico, fugiram em confusão, sendo perseguidos de perto por Pan Ch'ao. Mais de 5 mil cabeças foram trazidas de volta como troféus, além de imensa pilhagem na forma de cavalos, gado e valores de todo o tipo. Com a capitulação de Yarkand, Kutcha e os outros reinos retiraram suas forças. Desse dia em diante, o prestígio de Pan Ch'ao expandiu-se inteiramente pelos países do Ocidente.

Alterando seus programas e mudando seus planos, o general hábil mantém o inimigo sem um conhecimento claro. Mudando seu acampamento e tomando caminhos de muitas voltas, evita que o inimigo preveja seu objetivo. No momento crítico, o comandante de um exército age como quem sobe a um ponto elevado e depois atira fora a escada. Leva seus soldados para o interior do território hostil antes de se mostrar. Queima seus navios e quebra suas panelas; como um pastor levando um rebanho de ovelhas, guia seus homens para cá e para lá e ninguém saberá para onde está indo.

Reunir seus homens e guiá-los no perigo, talvez seja o limite de competência do general.

As diversas medidas que se seguem às nove variedades de terreno; a conveniência de táticas agressivas ou defensivas; e as leis fundamentais da natureza humana são coisas que certamente precisam ser muito estudadas.

Ao invadir território hostil, a regra geral é que penetrar profundamente dá coesão; penetrar de forma inadequada é dispersão.

Quando deixamos o nosso país e levamos nossas forças a território vizinho, estamos em *terreno crítico*. Quando há meios de comunicação em todos os quatro lados, estamos num dos *terrenos de estradas cruzadas*. Quando penetramos profundamente, estamos num *terreno sério*. Quando penetramos apenas um pouco, estamos em *terreno fácil*. Quando temos fortalezas inimigas na retaguarda e desfiladeiros estreitos à frente, estamos em *terreno cercado*. Quando não encontramos nenhum lugar para refúgio, estamos em *terreno desesperador*.

Em terreno dispersivo, incuta em seus homens a unidade de propósito. No fácil, faça com que haja ligações estreitas entre todos os setores do exército. No controverso, acelere a retaguarda. Em terreno aberto, mantenha um olhar atento em suas defesas, evitando um ataque repentino.

Num terreno de estradas cruzadas, consolide suas alianças.

Em terreno sério, assegure um fluxo contínuo de suprimentos. No difícil, continue marchando pela estrada.

Em terreno cercado, obstrua todo meio de retirada para fazer parecer que pretende defender a posição, quando sua verdadeira intenção é irromper, subitamente, nas linhas inimigas.

Em 532 d.C, Kao Huan, mais tarde imperador e glorificado como Shen-wu, foi cercado por um grande exército sob o comando de Ehr-chu Chao e outros. Sua própria força era comparativamente menor, consistindo de apenas dois mil cavalarianos e menos de 30 mil infantes. O cerco era muito apertado, com aberturas em certos pontos. Mas Kao Huan, em vez de tentar fugir, fez um movimento para bloquear todas as saídas restantes, levando pessoalmente para elas uma quantidade de bois e mulas amarrados. Tão logo seus oficiais e soldados viram não haver outra coisa a fazer a não ser vencer ou morrer, ficaram num extraordinário espírito de exaltação e atacaram com tal ferocidade que as fileiras inimigas romperam-se e desmoronaram sob seu assalto.

Em terreno desesperador, anuncie a seus soldados a impossibilidade de salvar-lhes a vida. A única oportunidade está em que desistam de qualquer esperança quanto a isso.

Pois é característica do soldado oferecer uma obstinada resistência quando cercado, lutar vigorosamente quando não pode ajudar a si próprio e obedecer, instantaneamente, quando em perigo.

Em 73 d.C., quando Pan Ch'ao chegou a Shan-shan, Kuang, rei do país, recebeu-o a princípio com grande polidez e respeito; mas, logo após, seu comportamento sofreu uma mudança súbita e ele tornou-se descuidado e indiferente.

Pan Ch'ao comentou a respeito com seus oficiais: "Repararam", disse, "que os modos educados de Kuang sumiram? Só pode significar que chegaram mensageiros dos bárbaros do norte e que, conseqüentemente, ficou indeciso, sem saber de que lado se põe. Certamente, é esse o motivo. O homem verdadeiramente inteligente, já dissemos, pode aperceber-se das coisas antes delas acontecerem; e muito mais, então, das que já ocorreram!"

Chamou imediatamente um dos nativos que fora posto ao seu serviço e preparou-lhe uma armadilha, dizendo: "Onde estão esses mensageiros do Hsiung-nu que chegaram há dias?"

O homem ficou tão perplexo que, entre a surpresa e o medo, revelou tudo. Pan

Ch'ao, mantendo seu informante cuidado-samente trancafiado, convocou, então, uma reunião geral de seus oficiais, 36 ao todo, e começou bebendo com eles. Quando o vinho lhes havia subido ligeiramente à cabeça, tentou mantê-los mais excitados, falando-lhes assim: "Senhores, estamos no interior de uma região isolada, ansiosos por obter riquezas e glórias através de uma grande proeza. Ora, acontece que um embaixador do Hsiung-nu chegou a este reino há apenas alguns dias e o resultado foi que o trato respeitoso que nos foi dado pelo nosso anfitrião real desapareceu. Se esse enviado dominá-lo, tomar nossa força e levar-nos para Hsiung-nu, nossos ossos serão pasto dos lobos do deserto. Que faremos?"

Unanimemente, os oficiais responde-ram: *"Diante do perigo de vida que corremos, seguiremos nosso comandante vivos ou mortos".*

Não podemos fazer aliança com príncipes vizinhos antes de sabermos das suas intenções. Não teremos condições de comandar um exér-cito em ação, a menos que estejamos familiari-zados com a geografia do país: suas montanhas e florestas, suas armadilhas e precipícios, seus brejos e pântanos. Seremos incapazes de transformar empecilhos naturais em vanta-gens, a menos que utilizemos guias locais.

Ignorar qualquer dos quatro ou cinco princípios seguintes, não beneficia um príncipe guerreiro.

Quando um príncipe militar ataca um Estado poderoso, sua mestria revela-se por evitar a concentração das forças inimigas. Intimida o adversário e, assim, seus aliados evitam juntar-se contra ele. Ao atacar um Estado poderoso, se puder dividir seus homens, ficará superior em forças; se conseguir essa superioridade em forças, intimidará o inimigo; se intimidá-lo, os estados vizinhos ficarão temerosos; e se estes ficarem temerosos, os aliados do inimigo evitarão juntar-se às suas forças.

Conseqüentemente, não deve tentar aliar-se a tudo e a todos, nem encorajar o poder de outros estados. Deve prosseguir com seu objetivo secreto, mantendo o adversário apavorado. Assim, será capaz de capturar suas cidades e derrubar seus reinos.

Dê recompensas sem observar uma norma, expeça ordens sem consideração a acordos prévios e será capaz de lidar com todo um exército, embora só tenha a haver com um único homem. Para evitar deslealdade, seus acordos não podem ser divulgados antecipadamente. Não deverá haver nenhuma rigidez em suas ordens e acordos.

Faça seus soldados enfrentarem a realidade, jamais deixe-os conhecer seu objetivo. Quando a probabilidade é boa, apresente-a a eles, porém, nada lhes diga quando a situação for sombria. Coloque seu exército em perigo mortal e ele sobreviverá; mergulhe-os em estreitos perigosos e eles os atravessarão a salvo.

Em 204 a.C., Han Hsin foi enviado contra o exército de Chao, estacionando a 16 quilômetros da entrada do passo Chinghsing, onde o inimigo estava com todas as suas forças. Então, à meia-noite, destacou um corpo de dois mil soldados da cavalaria ligeira, cada um com uma bandeira vermelha.

Suas ordens eram abrir caminho pelos estreitos desfiladeiros, vigiando secretamente o inimigo.

"Quando os homens de Chao me virem em plena fuga", disse Han Hsin, "deixarão suas fortificações e sairão em minha perseguição. Este deverá ser o sinal para que vocês entrem de roldão, derrubem as bandeiras de Chao e coloquem em seu lugar as bandeiras vermelhas de Han". Depois, virando-se para seus oficiais, frisou: "Nosso adversário conserva uma posição muito forte e não está disposto a sair e atacar-nos até ver a flâmula e os tambores do comandante-em-chefe, pois temerá que eu recue e fuja pelas montanhas".

Assim falando, mandou antes de mais nada uma divisão com 10 mil homens, ordenando-lhes que ficassem em linha de batalha, de costas para o Rio Ti.

Vendo esta manobra, o exército inteiro de Chao caiu na gargalhada. A essa altura, já era dia claro e Han Hsin, desfraldando a bandeira do generalíssimo, surgiu do passo com os tambores soando e foi imediatamente envolvido pelo inimigo.

Um grande combate desenvolveu-se durante algum tempo, até o ponto em que Han Hsin e seu companheiro Chang Ni, abandonando bandeiras e tambores no campo de batalha, juntaram-se à divisão na margem do rio, onde outro combate violento estava em curso. O inimigo atirou-se em sua perseguição para a conquista de troféus, desguarnecendo assim sua defesa, mas os dois generais conseguiram juntar-se ao outro exército, que estava lutando desesperadamente.

Agora tinha chegado a hora dos dois mil cavaleiros desempenharem seu papel. Tão logo viram os soldados de Chao tirarem proveito da vantagem, galoparam para dentro das muralhas vazias, arrancaram as bandeiras inimigas e as substituíram pelas de Han.

Quando o exército de Chao retornou da perseguição, a visão das bandeiras vermelhas encheu-os de pavor. Convencidos de que os hans haviam entrado e dominado seu rei, caíram numa tremenda desordem, tornando vãos os esforços do seu comandante para dominar o pânico.

Então, o exército de Han caiu sobre eles de ambos os lados e completou o serviço, matando um grande número e capturando o restante, incluindo o próprio Rei Ya.

Depois da batalha, alguns oficiais de Han Hsin dirigiram-se a ele, dizendo: "Aprendemos em A Arte da Guerra que devemos ter uma colina ou monte na retaguarda, à direita, e um rio ou pântano, à esquerda, na frente. O senhor, pelo contrário, ordenou-nos formar nossas tropas tendo o rio às costas. Nessas condições, como manobrou para chegar à vitória?"

O general respondeu: "Temo que os cavalheiros não tenham estudado A Arte da Guerra com o devido cuidado. Lá não está escrito 'Coloque seu exército em perigo mortal e ele sobreviverá; mergulhe-o em estreitos perigosos e ele os atravessará a salvo'? Se eu tivesse usado o curso habitual, nunca teria sido capaz de trazer meus colegas de volta. Se eu não tivesse colocado minhas tropas numa posição onde foram obrigadas a lutar pela vida, mas, ao contrário, permitido a cada homem seguir seu próprio critério, teria havido uma debandada geral e seria impossível fazer qualquer coisa com eles".

Os oficiais aceitaram a força do argumento e responderam: "Há táticas que estão acima da nossa capacidade".

Pois é precisamente quando uma força está em perigo que é capaz de lutar pela vitória.

O sucesso na guerra obtém-se acomodando-nos cuidadosamente ao objetivo do inimigo. Se ele demonstra inclinação para avançar, incite-o a fazê-lo; se está ansioso para recuar, detenha seu intento para que ele possa levar avante sua intenção.

Se nos agarrarmos persistentemente ao flanco do inimigo, teremos sucesso na longa operação de matar o comandante-em-chefe: uma ação vital na guerra.

O dia em que aceitar o comando, bloqueie os passos na fronteira, destrua todos os registros oficiais e impeça a passagem de emissários tanto para, como do país inimigo.

Seja firme na câmara do conselho e assim poderá controlar a situação.

Se o inimigo deixar uma porta aberta, invada-a.

Antecipe-se ao inimigo tomando o que ele ama e, sutilmente, consiga determinar o tempo de sua chegada ao campo.

Siga o caminho determinado e se adapte ao inimigo até que possa travar a batalha decisiva.

A princípio, portanto, exiba a timidez de uma donzela, até que o inimigo lhe dê uma oportunidade; depois, imite a rapidez de uma lebre fugindo e será muito tarde para o inimigo reagir.

XII

ATAQUE PELO FOGO

HÁ cinco maneiras de atacar com fogo. A primeira é queimar os soldados em seus acompamentos; a segunda é queimar armazéns; a terceira é queimar comboios de mantimentos; a quarta é queimar arsenais e paióis; a quinta é lançar fogo, continuamente, sobre o inimigo.

Enquanto Pan Ch'ao ainda estava em Shan-shan, disposto a acabar com o extremo perigo causado pela chegada de Hsiung-nu, enviado dos bárbaros nortistas, exclamou para seus oficiais: "Não arriscando, não se vence! Só pegamos os filhotes entrando no covil do tigre. Nossa única saída, agora, é um ataque com fogo contra os bárbaros, na calada da noite, quando não terão condições de avaliar o nosso número. Aproveitando-nos do seu pânico, os exterminaremos totalmente; isso esfriará a coragem do rei e nos cobrirá de glória, além de garantir o sucesso de nossa missão".

Os oficiais estavam ansiosos para segui-lo, mas ponderaram que seria necessário discutir o assunto antes com o primeiro-ministro.

Pan Ch'ao teve, então, um ataque de cólera: "É hoje", gritou, "que nossa sorte tem de ser decidida! O primeiro-ministro não passa de um civil estúpido que, ao ouvir nosso projeto, certamente ficará com medo e tudo virá à luz. Uma morte inglória não é um destino decente para guerreiros corajosos".

Assim, tão logo anoiteceu, ele e seu pequeno grupo dirigiram-se rapidamente ao acampamento dos bárbaros. Soprava um vento forte. Pan Ch'ao determinou a dez dos participantes que pegassem tambores e se escondessem atrás das barracas do inimigo, ficando combinado que quando vissem as chamas deveriam começar a tocar os tambores e prosseguir com todo o vigor. O resto dos homens, munidos de arcos e bestas, foram colocados de emboscada na entrada do acampamento. Ele, então, tocou fogo no local, a favor do vento, ao mesmo tempo em que um ensurdecedor barulho de tambores e de gritos ergueu-se na frente e na retaguarda do inimigo, que correu confuso e em frenética desordem. Pan Ch'ao matou três com as próprias mãos, enquanto seus companheiros decapitaram o enviado e 30 da sua comitiva. Os restantes, mais de 100 ao todo, morreram nas chamas.

No dia seguinte, Pan Ch'ao voltou e informou Kuo Hsun, o primeiro-ministro, do que havia feito. Ele ficou assustadíssimo e empalideceu. Porém, Pan Ch'ao, adivinhando seus pensamentos, disse, erguendo a mão: "Embora o senhor não tenha ido conosco na noite passada, não penso, senhor, ficar com todo o crédito pelo nosso feito".

Isso satisfez Kuo Hsun e Pan Ch'ao, mandando buscar Kuang, Rei de Shanshan, mostrou-lhe a cabeça do emissário dos bárbaros. O império inteiro ficou amedrontado e trêmulo, proporcionando a Pan Ch'ao a oportunidade de acalmar o povo fazendo uma proclamação. Depois, tomando o filho do rei como refém, retornou para fazer um relatório ao seu próprio rei.

A fim de executar um ataque com fogo, precisamos ter meios disponíveis; o material para provocar um incêndio deve estar sempre preparado.

Há épocas próprias para fazer ataques com fogo e dias especiais para iniciar uma conflagração. A época adequada é quando o tempo está muito seco; os dias especiais são quando a lua está nas constelações da Peneira, da Muralha, da Asa ou da Trave, pois essas quatro são, todas, dias de nascimento do vento.

Ao atacar com fogo, deve-se estar preparado para enfrentar cinco possíveis desdobramentos. Quando o fogo irrompe no acampamento inimigo, há uma reação imediata ao ataque externo. Se houver irrupção de fogo, mas o inimigo permanecer silencioso, espere o momento e não ataque. Quando a força das chamas chegar ao máximo, acompanhe-a de um ataque, se possível; do contrário, fique onde está. Se é possível atacar com fogo do exterior, não espere que ele comece no interior, mas inicie seu ataque no momento mais favorável.

Quando iniciar um incêndio, esteja em favor do vento. Nunca a sotavento. Se o vento é leste, comece queimando esse lado do inimigo e acompanhe pessoalmente o ataque desse lado. Se iniciar o incêndio a leste e depois atacar pelo oeste, vai sofrer tanto quanto o inimigo.

O vento que surge de dia é muito demorado, mas a brisa noturna acaba logo.

Em todo exército, os cinco desdobramentos relacionados com fogo devem ser conhecidos, os movimentos das estrelas calculados e

101

um observador colocado para os dias adequados.

Os que usam fogo como uma ajuda ao ataque demonstram inteligência; os que usam água com o mesmo fim obtêm um acréscimo de força. Por meio da água, um inimigo pode ser interceptado, mas não roubado de todos os seus pertences.

Triste é o destino de quem tenta vencer as batalhas e ter sucesso nos ataques sem cultivar o espírito de iniciativa, pois o resultado é perda de tempo e paralisação geral. O governante esclarecido situa seus planos muito à frente; o bom general melhora seus recursos. Comanda seus soldados com autoridade, mantém-nos juntos pela boa fé e os torna serviçais com recompensas. Se a fé diminuir, haverá separação; se as recompensas forem deficientes, as ordens não serão respeitadas.

Não marche a não ser que veja alguma vantagem; não use suas tropas, a menos que haja alguma coisa a ser ganha; não lute, a menos que a posição seja crítica. Nenhum dirigente deve colocar tropas em campo apenas para satisfazer seu humor; nenhum general deve travar uma batalha apenas para se vangloriar. A ira pode, no devido tempo, transformar-se em alegria; o aborrecimento pode ser seguido de contentamento. Porém, um reino que tenha sido destruído jamais poderá tornar a existir, nem os mortos podem ser ressuscitados.

Por isso, o governante inteligente deve estar atento e o bom general muito cuidadoso. Esta é a forma de manter um país em paz e um exército intacto.

XIII

O EMPREGO DE ESPIÕES

CONSTITUIR uma tropa de 100 mil homens e fazê-lo percorrer grandes distâncias impõe grandes perdas ao povo e drena os recursos do Estado. A despesa diária deverá chegar a mil onças de prata. Haverá distúrbios internos e externos e homens cairão exaustos nas estradas. Mais de 700 mil famílias serão dificultadas em seu trabalho.

Exércitos adversários podem enfrentar-se durante anos, lutando pela vitória, que é decidida num só dia. Dessa forma, *continuar na ignorância da condição do inimigo, apenas porque alguém se recusa a desembolsar uma centena de onças de prata em honras e recompensas, é o cúmulo da desumanidade.*

Quem age assim, não lidera homens, não serve de ajuda ao seu soberano, não é o artífice da vitória. O que possibilita ao soberano inteligente e ao bom general atacar, vencer e conquistar coisas além do alcance de homens comuns é a *previsão*. Ora, essa previsão não pode ser extraída da coragem; nem também por indução decorrente da experiência, nem por qualquer cálculo realizado.

O conhecimento das disposições do inimigo só pode ser conseguido de outros homens. O conhecimento do espírito do mundo tem de ser obtido por adivinhação; a informação sobre a ciência natural deve ser procurada pelo raciocínio intuitivo; as leis do universo podem ser comprovadas pelo cálculo matemático; mas as disposições do inimigo só são averiguadas por espiões e apenas por eles.

Daí o emprego de espiões, que se dividem em cinco tipos: espiões locais; espiões internos; espiões convertidos; espiões condenados; espiões sobreviventes.

Quando esses cinco tipos estão todos agindo, ninguém pode descobrir o sistema secreto. Chama-se a isso "a manipulação divina dos fios". É a faculdade mais preciosa de um soberano.

Ter *espiões locais* significa empregar os serviços de habitantes de um distrito. Em país inimigo, conquistam-se as pessoas com bom tratamento, empregando-as como espiãs.

Ter espiões *internos* significa usar os funcionários do inimigo. Homens direitos que foram rebaixados no emprego; criminosos que sofreram penas; também concubinas favoritas, gananciosas de ouro; homens ofendidos por estarem em posições subalternas ou preteridos na distribuição de cargos; outros ansiosos para que seu lado seja derrotado e, assim, possam ter uma oportunidade de exibir sua capacidade e talento, volúveis vira-casacas que sempre estão em cima do muro. Funcionários dessas várias espécies devem ser abordados secretamente e atraídos pela concessão de presentes caros. Para isso, devemos ser capazes de descobrir a situação dos negócios no país inimigo, averiguar os planos preparados contra nós e, ainda mais, perturbar a harmonia e criar uma separação entre o soberano e seus ministros. Porém, há necessidade de extrema cautela ao lidar com espiões internos.

Lo Shang, governador de I-chou, mandou seu general, Wei Po, atacar o rebelde Li Hsiung, de Shu, na sua fortaleza de P'i. Depois de ambos os lados terem obtido um certo número de vitórias e derrotas, o chefe rebelde Li Hsiung recorreu aos serviços de um tal Po-tai, natural de Su-tu. Começou por mandar espancá-lo até o sangue correr e depois enviou-o ao seu inimigo Lo Shang, a quem devia enganar, oferecendo cooperação interna e mandar um sinal luminoso, no momento propício, para um ataque geral.

Lo Shang, acreditando nas promessas desse espião interno, expediu todos os seus melhores soldados, com o General

Wei e outros à frente, com ordens de atacar ao sinal de Po-tai. Neste ínterim, Li Hsiung preparou uma emboscada e Po-tai, tendo colocado escadas de assalto contra as muralhas da cidade, acendeu então o farol. Sem desconfiar de que estavam sendo traídos, os soldados de Wei avançaram ao ver o sinal e começaram a escalar as muralhas o mais rapidamente possível, enquanto outros eram içados por cordas atiradas de cima. Mais de cem soldados entraram na cidade dessa maneira, e todos foram, a seguir, decapitados. Então, o chefe rebelde Li Hsiung atacou com todas as suas forças, tanto fora como dentro da cidade, desbaratando completamente o inimigo.

Ter *espiões convertidos* quer dizer apoderar-se de espiões do inimigo e empregá-los para nossos próprios fins: fazendo grandes subornos e promessas liberais, nós os afastamos do serviço do inimigo e os induzimos a fornecer-lhe informações falsas e, ao mesmo tempo, espionar seus compatriotas.

Ter *espiões condenados* significa fazer certas coisas às claras, com o objetivo de enganar e permitir aos nossos próprios espiões tomar conhecimento e, quando traírem, comunicarem o que sabem ao inimigo. Faremos coisas calculadas para enganar nossos próprios espiões, que devem ser levados a acreditar que foram reveladas inconscientemente. Então, quando esses espiões tiverem sido capturados por trás das linhas inimigas, farão um relatório totalmente falso, levando o inimigo a tomar medidas adequadas, apenas para chegar à conclusão de que fizemos uma coisa muito diferente. Os espiões, por causa disso, serão mortos.

Finalmente, *espiões sobreviventes* são os que trazem notícias do acampamento inimigo. Esta é uma espécie comum de espiões, que devem constituir parte regular do exército. *Seu espião sobrevivente deve ser um indivíduo de grande sagacidade, embora no aspecto pareça bobo; externamente desprezível, mas com uma vontade de ferro. Deve ser ágil, robusto, dotado de força física e coragem, inteiramente acostumado a toda espécie de trabalho sujo, capaz de suportar fome e frio e conspirar com a vergonha e a ignomínia.*

Certa vez, o Imperador T'ai Tsu enviou Ta-hsi Wu para espionar seu inimigo, Shen-wu, de Ch'i. Wu fez-se acompanhar por mais dois homens. Estavam montados e usavam o uniforme do inimigo.

Quando escureceu, desmontaram a algumas centenas de metros do acampamento inimigo e furtivamente engatinharam para escutar, até conseguirem saber a senha usada pelo exército. Depois tornaram a montar e, ousadamente, entraram no acampamento sob o disfarce de vigias; e mais de uma vez, ao passarem por um soldado que estava quebrando a disciplina, eles realmente pararam para dar uma forte cacetada no culpado!

Assim, conseguiram voltar com a maior quantidade possível de informações sobre as disposições do inimigo e receberam calorosa demonstração de apreço do imperador que, em conseqüência do seu relatório, pôde infligir uma séria derrota ao adversário.

Jamais haverá em todo o exército relações mais íntimas que as mantidas com espiões. Nenhuma outra relação deverá ser mais liberalmente recompensada. Em nenhuma outra deverá haver maior segredo.

Os espiões não podem ser empregados utilmente sem um certo grau de sagacidade intuitiva. Antes de empregar espiões, devemos ter certeza de sua integridade de caráter e do tamanho da sua experiência e habilidade. Um rosto atrevido e uma disposição ladina são mais perigosos que montanhas ou rios; é preciso ser gênio para penetrar em ambos.

Eles não podem ser adequadamente usados sem benevolência e fraqueza.

Sem uma sutil engenhosidade mental não se pode ter certeza da autenticidade dos seus relatórios.

Seja sutil! Seja sutil! E empregue seus espiões em toda a espécie de atividade.

Se uma notícia secreta é divulgada por um espião antes da hora, ele deve ser morto junto com quem recebeu a notícia.

Se o objetivo for esmagar um exército, agitar uma cidade ou assassinar alguém, será sempre necessário descobrir os nomes dos assessores, ajudantes-de-campo, porteiros e sentinelas do comandante-em-chefe. Nossos espiões devem ser empregados nessa tarefa.

O espião do inimigo que chegar até nós deve ser descoberto, tentado com suborno, deixado livre e confortavelmente abrigado. Assim, se tornará um espião convertido e à nossa disposição.

É através da informação trazida pelo espião convertido, que somos capazes de conseguir e empregar espiões locais e internos. Devemos atrair o espião convertido para o nosso serviço, porque é ele quem sabe quais os habitantes locais gananciosos e quais os funcionários sensíveis à corrupção.

É graças à sua informação, ainda, que podemos fazer o espião condenado levar informações falsas ao inimigo.

Finalmente, é graças à sua informação que o espião sobrevivente pode ser empregado em determinadas ocasiões.

A finalidade e a intenção de espionar em todas as cinco variedades é o conhecimento do inimigo; e esse conhecimento só pode advir, em primeira instância, do espião convertido.

Não só ele, pessoalmente, fornece a informação, como torna possível usar as outras espécies de espiões com vantagem. Portanto, é essencial que o espião convertido seja tratado com a máxima liberalidade.

Na antigüidade, o surgimento da dinastia Yin deveu-se a I Chi, que serviu sob a Hsia. Da mesma forma, o nascimento da dinastia Chou foi possível graças a Lu Ya, que serviu sob o Yin.

Dessa maneira, apenas o governante esclarecido e o general criterioso usarão as mais dotadas inteligências do exército para a espionagem, obtendo, dessa forma, grandes resultados.

Os espiões são os elementos mais importantes de uma guerra, porque neles repousa a capacidade de movimentação de um exército.

Na paz, preparar-se para a guerra; na guerra, preparar-se para a paz. A arte da guerra é de importância vital para o Estado. É uma questão de vida ou morte, um caminho tanto para a segurança como para a ruína. Assim, em nenhuma circunstância deve ser descuidada...